S0-BEH-005

어글리 코리언, 어글리 어메리컨

Ugly Koreans, Ugly Americans

어글리 코리언, 어글리 어메리컨
Ugly Koreans, Ugly Americans

Published March 1995

Copyright © 1995 by BCM Publishers, Inc.

All rights reserved. No part of this book may be
reproduced or utilized in any form or by any means,
without written permission from the publisher.

BCM Publishers, Inc.

752-27 Yuksam-dong, Kangnam-gu, Seoul, Korea
Printed in Korea

어글리 코리언, 어글리 어메리컨

Ugly Koreans, Ugly Americans

Min Byoung-chul

BCM Publishers, Inc.

머 리 말

필자가 경영하는 서울의 한 어학원에서 생긴 일이다. 한국에 온 지 두 주밖에 안 된 한 미국인 여자 강사가 몹시 화가 나서 강의실을 뛰쳐나온 적이 있었다. 왜 그런지를 물었더니, 그녀는 울상이 되어서 "한 남학생이 가운데 손가락으로 칠판을 가리켰어요!"라고 하는 것이었다.

가운데 손가락을 세워보이는 것이 자신의 선생님을 화나게 하는 저속한 성적 의미를 함축하고 있다는 것을 그 한국 학생이 어떻게 알 수 있었겠는가?

필자는 이와 비슷한 사건들, 특히 한·미 양국의 문화적 차이로 인해 일어나는 사건들을 많이 보고 들어왔으며, 수년전 시카고에 있는 한 시립대학에서 이민자들에게 영어를 가르칠 때부터 이러한 문화적 차이를 꾸준히 메모해왔다. 이 책에 있는 예들은 필자의 개인적 경험과 수많은 한국인, 미국인들과의 대화, 그리고 한·미 양국인의 서로에 대한 반응을 관찰한 데서 나온 것이다.

"어글리 코리언, 어글리 어메리컨"의 목적은 어느 한 쪽을 비난하려는 것이 아니고, 보다 열린 마음으로 서로를 이해하도록 도우려는 데에 있다. 아무쪼록 이 책이 한미 양국인들로 하여금 서로에 대해 배우고, 상호간의 문화적 차이에서 비롯되는 오해와 악영향을 최소화시킴으로써 보다 조화로운 관계를 유지하는데 일조하였으면 한다.

FOREWORD

One day at one of my language schools in Seoul, a female American teacher, who had been in Korea for only two weeks, came running out of her classroom visibly upset. When I asked her what was wrong, she said, almost in tears, "One of the male students pointed at the blackboard using his middle finger!"

How could a Korean student possibly have known that pointing with his middle finger was an offensive sexual gesture that would make his teacher upset?

I have seen and heard of many similar incidents, especially between Koreans and Americans. They mainly happened due to cultural differences. I have been noting these differences since I was an ESL teacher years ago at one of the city colleges in Chicago. The examples in this book come from personal experiences, from hundreds of chats I have had with Koreans and Americans, and from witnessing the reactions of Koreans and Americans to each other.

The purpose of *UGLY KOREANS, UGLY AMERICANS* is not to blame one side or the other; rather, it is to help both sides view each other in a more open manner. Hopefully this will enable Koreans and Americans to learn more about each other and minimize their misunderstandings and the deleterious effect of the cultural gap so that both can work and live together more harmoniously.

물론 이 책이 한국인과 미국인의「어글리」사례들을 모두 다루고 있는 것은 아니다. 어떤 분들은 필자와 다른 견해를 가지고 있을 수도 있고, 다른 사례들을 알고 있을 수도 있다. 따라서 이 책은 어디까지나 한 개인의 견해를 표명한 것이며, 결정적인 사실은 아니라는 점을 강조하고 싶다. 독자들께서 덧붙이고 싶은 다른 사례들이 있다면 보내주시기 바란다.

이 책의 원고 집필과 개정에 많은 도움을 주신 민병철어학원의 권양자 강사 트레이너, 유니버설 발레단 Lynne L. Kim 국제부장, 한남대학교 Carl Dusthimer 교수, 동국대학교 Thomas Duvernay 교수, 일본 관서외국어대학 단기대학부 J. Nevitt Reagan 교수, (주)다이나워드의 Walt Robatzek, 미국 Texas A&M 대학 부설 AESL 어학 연구소 Susan Robinson 소장, 미 8군 교육청의 문선기 행정관, 경희대학교 박병수 교수, 민병철어학원의 박종화 박사, 서울 외국인 중학교 Jonathan Borden 교장, Maryland 대학교 Charles D. Ertle 박사, (주)다이나워드의 Thomas I. Elliott 사장, 한미교육위원단 단장 Ray Weisenborn 박사, 서울대학교 정지웅 교수, Dr. Malcolm E. Parsley, 그리고 민병철어학원의 강사 Shane M. Peterson(가나다 순)에게 감사를 드린다. 또한, 민병철생활영어사의 서주희 편집장과 이은행 연구원, 그리고 민병철어학원의 한국인, 미국인 강사분들께도 깊은 감사를 드린다.

1995년 3월

민 병 철

This book, of course, does not contain all the ugly things that Koreans and Americans do or say. Some people may have different perspectives or have noticed different things than I have. I would emphasize that this book presents one person's views and that the views expressed are not final. If my readers have other examples they would like to point out, please send them to me.

I would like to thank the following people (in alphabetical order) for their suggestions, examples, and insights: Jonathan Borden, Middle School Principal at Seoul Foreign School; Professor Ji-woong Cheong, Seoul National University; Professor Carl Dusthimer, Han-nam University; Professor Thomas Duvernay, Dong-guk University; Thomas I. Elliott, President of Dynaword Inc.; Dr. Charles D. Ertle, University of Maryland; Lynne L. Kim, International Affairs Manager at Universal Ballet Company; Yang-ja Kwon, Teacher Trainer at BCM Language Centers; Son-ki Mun, Educational Administrator at the 8th Army's Yongsan Educational Center; Professor Byung-soo Park, Kyung-hee University; Dr. Jong-hwa Park, Director of Studies of BCM Language Centers; Dr. Malcolm E. Parsley, Minister; Shane M. Peterson, Teacher at BCM Language Centers; Professor J. Nevitt Reagan, Kansai Gaidai College; Walt Robatzek of Dynaword Korea Inc.; Susan Robinson, Director of AESL West Texas A & M University and Dr. Ray Weisenborn, Executive Director of the Korean-American Educational Commission. They read the manuscript for this book and offered invaluable suggestions for its improvement. Many thanks also to my fine editorial staff at BCM Publishers, Inc., especially Joo-hee Seo and Eun-haeng Lee, as well as the Korean and American teachers at BCM Language Centers.

March 1995
Min Byoung-chul

● 어글리 코리언 (UGLY KOREANS)

● 어글리 어메리컨 (UGLY AMERICANS)

코리언
UGLY KOREANS

Americans think
it's ugly when
Koreans…

뒤따라 오는 사람을 위해 문을 잡아주지 않는다.

미국인들은 뒤따라 오는 사람이 모르는 사람이라고 해도 문을 잡아주는 것이 보통이다. 한국인들은 뒷사람이 자신과 관계없는 사람일 경우 대개 그렇게 하지 않는다. 그러나, 뒷사람이 자신의 일행일 경우는 한국인들도 출입문을 잡고 기다려준다.

Don't hold the door for the person behind them.

Americans expect people to hold the door for the people behind them even if they don't know the people. Most Koreans are not accustomed to doing this if the person behind is a stranger. However, a Korean would hold the door for his/her own guest.

사람들 많은 곳에서 서로 부딪친다.

한국의 도시는 복잡해서 다른 사람과 서로 부딪치는 경우가 종종 있다. 한국인들은 이것이 불가피한 일이라고 생각하고 별로 신경을 쓰지 않는다. 그러나 낯선 사람과의 이런 식의 신체 접촉은 미국인들을 짜증나게 만든다. 미국인들은 공공장소에서도 자신의 "사적인 공간"을 지키려고 하기 때문이다.

Bump into others in a crowd.

Korean cities are crowded and people may, at times, bump into one another. Koreans think this is inevitable and don't care much about it. However, this form of bodily contact with strangers irritates Americans, who are accustomed to maintaining their own "personal space" in public places.

"감사합니다.""실례합니다.""미안합니다."라고 말하지 않는다.

한국인들은 다른 사람에게 자기 감정을 표현하는데 서툴다. 그들은 얼굴 표정으로 감정 표현을 하곤 한다. 예를 들어, 결혼한 부부 간에도 "사랑한다"는 말을 잘 하지 않는데 이런 감정은 대개 눈빛으로 이해되기 마련이다. 그러나, 복잡한 전철에서 어쩌다 미국인의 발을 밟았을 때 눈으로 사과의 뜻을 전하려 한다면, 그는 이해하지 못할 뿐더러 몹시 불쾌하게 생각할 것이다. 미국인에게는 "미안합니다."라고 분명히 말함으로써 사과의 뜻을 전하는 것이 좋다.

Don't say "Thank you," "Excuse me," or "I'm sorry."

Koreans are not accustomed to revealing their feelings to others. They use facial expressions to convey their feelings. For example, quite often even married couples don't say "I love you." It is naturally understood by their eyes. However, in a crowded subway, if you happen to step on an American's foot and try to apologize with your eyes, he will not understand and will feel offended. It's better to verbally express the apology to an American by saying, "I'm sorry."

주의를 끌기 위해 상대방의 옷자락을 잡아끈다.

한국인들은 상대방의 주의를 끌기 위해 "실례합니다."라고 말하는 대
신, 옷소매를 만지거나 잡아끌곤 한다. 미국인들에게 이런 행동은 사
생활의 침해이며 매우 무례한 행동이라고 생각된다.

Grab at one's clothes to get one's attention.

Some Koreans touch or grab someone's sleeve to get their
attention, instead of saying "Excuse me." To Americans,
however, this is an invasion of privacy and is considered
very rude.

대화 도중 상대방을 가볍게 친다.

우스운 이야기를 하다가 상대방의 어깨나 팔을 치는 한국인들을 많이 볼 수 있다. 이것은 미국인들에게는 대단한 실례이다.

Slap people when talking to them.

When Koreans talk about something funny, many will slap the other person on the shoulder or arm. This is quite offensive to Americans.

대화 중에 상대방의 눈을 쳐다보지 않는다.

한국인들은 상대방, 특히 연장자를 똑바로 쳐다보는 것이 실례라고 생각한다. 예를 들어, 한국 학생이 선생님께 꾸중을 들을 때 학생은 잘못을 인정한다는 뜻으로 시선을 아래로 떨군다. 그러나, 미국인들에게 있어서 시선을 피하는 것은 관심이나 존경심, 정직성의 부재를 의미한다. 그것은 상대방의 이야기에 귀를 기울이지 않거나 상대방이 무슨 말을 하든 신경을 쓰지 않는다는 뜻으로 이해되기 때문이다.

Don't use much eye contact during conversation.

Koreans tend to regard it as impolite to stare directly at someone, especially at someone who is older. For example, when a Korean student is being scolded by his teacher, he will look down to show he knows he did wrong. To Americans, however, avoiding eye contact implies lack of interest, respect, or honesty; it signals that the other person isn't really listening or simply doesn't care what the speaker is saying.

여자들이 웃을 때 손으로 입을 가린다.

한국인들은 이것을 교양있는 행동으로 받아들인다. 예의바른 한국 여
성이라면 입을 크게 벌리고 시끄럽게 웃어서는 안된다. 그러나 미국인
들은 입을 가리고 웃는 여성이 몰래 자신을 비웃고 있는 거라고 생각
하게 된다.

Women cover their mouths when they laugh.

This common gesture is viewed by Koreans as a sign of good
breeding. A polite Korean woman should not laugh loudly and
openly. However, Americans encountering this behavior
would most likely feel that the woman is laughing at them
while trying to hide her amusement.

이 사이로 공기를 빨아들인다.

이런 "쓰"하는 소리는 때로 질문에 대한 대답으로 들린다. 미국인들은 이것을 "맙소사!"의 뜻으로 해석해서 자신의 간단한 부탁이 뭔가 심각한 문제를 일으켰다고 생각할 수도 있다. 그러나, 한국에서 이 소리는 영어의 "Uh...,"나 "Let's see..." 정도의 뜻으로, 어떻게 대답할 지 생각하고 있는 주저함의 표현이다.

Suck air between their teeth.

This hissing sound is sometimes heard in response to a question. Americans may interpret it as meaning "Oh, no!" and feel that their simple request has caused a serious problem. In Korea, however, it is often used to indicate hesitation, somewhat like the English "Uh..., " or "Let's see...," signaling that the person is thinking of how to respond.

가운데 손가락으로 가리킨다.

미국 문화에서 가운데 손가락을 치켜세우는 것은 가장 외설적인 (그리고 위험한!) 제스츄어로서 상대방에게 심한 모욕을 줄 때나 사용한다. 대개의 한국인들은 이 제스츄어가 주는 감정적인 충격을 의식하지 못하고 (특히 손에 뭔가 들고 있을 때는) 별 생각없이 가운데 손가락으로 사물을 가리키곤 한다. 이 제스츄어는 절대로 하지 않는 것이 좋다. 미국인들은 그것을 결코 그냥 지나치지 않을 것이다.

Use the middle finger to point.

Sticking out the middle finger is the most obscene (and dangerous!) gesture in American culture, used only as a strong insult. Most Koreans are unaware of its emotional impact and may casually use the middle finger in pointing (especially if holding something in the same hand). Avoid this gesture at all costs. You can be sure that Americans will notice it.

악수를 너무 오래 하거나 힘없이 한다.

너무 긴 악수는 미국인들을 불편하게 하며, 힘없는 악수 또한 미국인들에게 부정적인 인상을 주는데, 마치 "죽은 생선"을 쥐고 있는 듯한 느낌이라고 말하는 미국인들도 있다.

Shake hands too long or too limply.

A handshake that is too long may make an American feel uncomfortable, and a limp handshake gives a negative impression to Americans, who say it is like holding a "dead fish."

회의 중에 눈을 감고 있는다.

한국인들은 눈을 감으면 집중하는데 도움이 된다고 말할지도 모른다. 그러나 미국인들에게 이것은 아주 무례한 행동으로 보이는데, 마치 상대방의 발언이 들을 가치가 없다고 생각하는 듯한 인상을 주기 때문이다.

Close their eyes at a meeting.

Koreans may claim that closing their eyes helps them concentrate. But it seems discourteous to Americans. It is as if the speaker is saying nothing worthy of attention.

코를 풀어버리지 않고 계속 훌쩍거린다.

대개의 한국인들은 사람들 앞에서 코를 풀지 않는다. 감기에 많이 걸리는 겨울철에 사람들로 붐비는 방은 코를 훌쩍이는 소리로 어수선하다. 미국인들에게 이것은 아주 듣기 싫은 소리로서, 그들은 계속 훌쩍거리는 대신 시원하게 한번 풀어버리는 것이 낫다고 생각한다.

Sniffle continually instead of blowing their noses.

Most Koreans don't blow their noses in public. During winter in Korea, when many people have colds, a crowded room may become a symphony of snifflers. This sound is somewhat unpleasant to Americans, who prefer to blow their noses once and be done with it.

사람들 앞에서 귀소제를 한다.

미국인들에게 이런 행동은 혐오스러워 보인다. 미국에서는 이런 행동
은 혼자 있을 때나 하게 된다.

Men clean their ears in public.

This is considered disgusting by most Americans. In the
United States it would only be done in private.

주위 사람들에 아랑곳하지 않고 담배를 피운다.

연장자 앞인 경우를 제외하면, 한국 남성들은 마음 내킬 때면 아무데서나 담배를 피우는 것 같다. 요즘에는 흡연이 제한되는 장소들이 있기는 하지만, 그런 제한도 비흡연자들에게 담배 연기 없는 환경을 제공하기에는 턱없이 부족하다.

Smoke anywhere without considering those around them.

Except in front of elders, Korean men seem to smoke just about anywhere that the urge strikes them. These days there are a few places where smoking is prohibited, but these limitations are nowhere near sufficient to provide non-smokers with a smoke free environment.

호텔, 식당, 상점 종업원에게 무례하다.

한국에서는 서비스 직종에 있는 사람들이 그리 정중한 대접을 받지 못한다. 미국에서는 식당 종업원이나 상점 점원들도 자신이 고객과 동등한 위치에 있다고 생각한다. 따라서, 미국에서 명령조의 짧은 표현을 사용하는 한국인 관광객들은 형편없는 서비스를 받게 될 것이다.

Are rude to service personnel in hotels, restaurants, and stores.

In Korea, people in "service" positions are not treated very politely. In the U.S., though, waitresses and store clerks regard themselves as sharing equal status with their customers. Korean tourists in the U.S. who use short phrases in a commanding tone of voice are simply setting themselves up for poor service.

공공장소에서 쓰레기를 함부로 버린다.

어떤 한국인들은 집에서는 까다로울 정도로 흠잡을데 없이 깨끗하게
지내면서, 소풍이라도 가게되면 사방에 쓰레기를 버린다. 어린 아이들
도 땅바닥이 쓰레기통이나 되는 듯이 먹고난 사탕봉지를 아무렇게나
던져버리곤 한다.

Throw trash in public.

Koreans are fastidious at home, keeping everything
impeccably clean. When they go on a picnic, however,
they leave their trash scattered about. Also, children quite
casually open a candy wrapper, eat the candy, and toss the
wrapper into the air as though the earth were a big trash
can.

공공장소에서 침을 뱉는다.

한국의 거리에서 쓰레기통이나 심지어 땅바닥에 침을 뱉는 사람을 보고 놀라게 될지도 모른다. 이런 행동에 대해서는 미국인들 뿐만 아니라 한국인들도 혐오스럽게 생각한다.

Spit in public.

On the streets in Korea, you may be surprised to see men spitting in a waste basket or even on the road. This behavior is regarded as disgusting by other Koreans as well as by Americans.

공공장소에서 마른 오징어를 먹는다.

한국인들이 즐겨먹는 마른 오징어의 냄새는 미국인들에게는 아주 불쾌
한 것이다. 한국인들이 비행기처럼 밀폐된 장소에서 마른 오징어를 먹
을 때, 미국인들은 냄새를 피할 길이 없다.

Eat dried squid in public.

Most Koreans like to eat dried squid, but the smell is
repulsive to most Americans. When Koreans eat dried
squid in a closed environment, (i.e., on an airplane),
Americans have nowhere to go.

부모들이 공공장소에서 주위 사람들에게 폐를 끼치는 아이들을 내버려둔다.

한국의 식당, 공항, 호텔 로비 등 공공장소에서 마치 그곳이 놀이터라도 되는 것처럼 시끄럽게 소리 지르면서 뛰어다니는 아이들을 볼 수 있다. 그런 아이들을 꾸짖는 부모도 있지만 대개의 부모들은 자신의 아이가 다른 사람들에게 불편을 끼치는 것에 무관심한 것 같다. 미국에서는 아이들이 공공장소에서 주위 사람들에게 폐를 끼치지 않도록 엄격하게 교육시킨다. 부모는 자녀에게 예의바른 행동을 가르칠 책임이 있다.

Parents let their children disturb others in public.

In Korea, you can see some children running around and crying loudly in public places, such as restaurants, airports, or hotel lobbies, as if the places were playgrounds. Some parents scold them, but most are indifferent to their children's disturbance of others. In America, young children are strictly taught to behave themselves so as not to disturb others in public. Parents are responsible for teaching proper behavior.

외국인을 빤히 쳐다보면서 면전에서 그들에 대해 이야기 한다.

한국인들은 자신과 비교해서 다른 사람들이 어떻게 보이는 지에 호기심이 많다. 그들은 특히 외국인의 외양에 관심이 많아 자신과 다르게 생긴 사람들을 빤히 쳐다보고 손가락질하는 경우도 있다. 이런 행동에는 상대를 화나게 하려는 의도는 없지만, 의도적이든 아니든 미국인들에게 불쾌한 일이기는 마찬가지이다.

Stare at foreigners and talk about them in their presence.

Koreans are inquisitive about how others look in relation to themselves. They are especially curious about a foreigner's appearance and sometimes stare and point at people different from themselves. Usually, they mean no offense by this, but to Americans, whether they mean no offense or not, it is very unpleasant.

양복에 흰 양말을 신는다.

어떤 미국인 영어강사는 자기 클래스의 16명의 남학생 중 14명이 짙은 색 양복에 흰 양말을 신은 걸 본 적이 있다고 한다. 미국인들은 그런 사람을 촌스럽다고 여기는데, 양말 색깔은 바지색과 조화가 되어야 한다고 생각하기 때문이다. 그러나 상당수의 한국 남자들이 그런 부조화를 의식하지 못한 채 짙은 색 양복에 흰 양말을 신고 있다.

Wear white socks with a suit.

An American English teacher counted 14 out of 16 male Korean students in her class wearing white socks with dark-colored suits. Americans would consider such people uncultured (country bumpkins), because they think that the color of the socks should match or complement the color of the trousers. Quite a few Korean men, however, wear white socks with dark-colored suits without noticing the clash.

관광하면서 정장을 입는다.

대체로 한국인들은 미국인들에 비해서 "상황에 맞는 옷차림"을 하지 않는 경향이 있다. 설악산에 정장을 하고 오는 한국인들이나 고전음악 회에 청바지와 티셔츠를 입고 오는 한국 젊은이들을 보면 이것을 알 수 있다.

Wear formal suits while sightseeing.

In general, Koreans tend to "dress for the occasion" less than Americans. This can be observed at places like Sorak Mountain where one can see some Korean hikers wearing suits or at a classical music concert where one can see some young Koreans in jeans and a T-shirt.

잘못된 영어표현이 쓰여진 옷을 입고 다닌다.

한국에서 만들어지는 옷에 외국어, 특히 영어가 인쇄되는 것은 흔한 일이다. 그러나 대개의 한국인들은 자신이나 타인의 옷에 쓰여진 글자를 읽지는 않는다. 그런 단어나 문구들은 디자인의 일부에 불과하기 때문이다. 어쨌든 한국에 있는 영어권의 외국인들에게는 이것이 끊임없는 웃음의 소재가 된다. 옷에 쓰여진 표현을 이해하지 못할 때는 그 옷을 입지 않는 것이 좋다. 그런 표현들 중에는 부정확하거나 외설적인 것이 많기 때문이다.

Wear clothes with misused English words and phrases printed on them.

Foreign words (especially English) are commonly printed on clothing in Korea. However, most Koreans do not usually read what they or others are wearing; the words or phrases are for decoration only. In any case, the English is a constant source of amusement for native-speakers of English living in Korea. If you don't understand what the words mean, you should consider not wearing such clothes; much of what is written is garbled or obscene.

상대방에게 무엇을 먹을 건지 물어보지도 않고 음식을 주문한다.

미국인에게 한국 음식을 설명하는 데에는 시간이 오래 걸리고, 또 영어로 요리를 설명하는 것이 어렵기 때문에, 한국인들은 종종 자기 손님이 좋아할 거라고 생각되는 음식을 주문하곤 한다. 그러나 "제가 대신 주문해 드릴까요?"라고 한마디만 물어 본다면, 무얼 주문할 지 몰라 당황하는 미국인 손님을 안심시킬 뿐 아니라 무례하거나 주제넘다는 인상을 주지도 않을 것이다.

Order food for guests without asking what they want.

Trying to explain to Americans what some of the Korean dishes are like would take a long time, and sometimes it is really difficult for Koreans to explain foods in English. So Koreans often order something that they think their guests might like. However, if Koreans ask, "Shall I order for you?" it would not only relieve the American guest but take any rudeness or presumptuousness out of the situation.

가위로 고기와 채소를 자른다.

갈비, 김치, 냉면 등의 일부 한국 음식은 칼로 써는 것보다 가위로 자르는 것이 훨씬 쉽다. 이때 사용되는 가위는 음식을 자를 때에만 쓰는 것이고, 물론 칼만큼 자주 씻는다.

Cut meat and vegetables with a pair of scissors.

For some Korean foods (Kal-bi, Kim-chi, Naeng-myun, etc.) using scissors for cutting is much easier than using a knife. The scissors, however, are used only for foods and are, of course, cleaned as often as knives.

국수나 국을 먹을 때 시끄럽게 소리낸다.

"후루룩" "얌얌" "쩝쩝" 뜨거운 국수를 입김으로 식히지 않고 입에 넣는 것은 어려운 일이다. 그러나, 그런 소리는 어릴 때부터 식사 중에 소리를 내서는 안된다고 들어온 미국인들을 불쾌하게 만든다.

Slurp loudly while eating noodles or soup.

"Sloosh!" "Slurp!" "Smack!" It is impossible to eat a steaming hot bowl of noodles unless one cools them with a rush of air as they enter the mouth. The resulting sound, however, disgusts Americans, who are taught from an early age not to make noises while eating.

입에 음식을 넣은 채 말한다.

미국인들은 이런 행동을 싫어한다. 미국에서는 이것은 음식을 삼키기 전에 꼭 말해야 하는 긴급한 상황이 있을 때나 (예를 들면 "부엌에 불이 났어요!" 같은) 허용된다.

Talk with their mouths full.

Americans hate to see this. In the U.S., it is permissible only in extreme situations, when one must say something before swallowing (e.g., "Your kitchen is on fire!").

식사 중에 대화를 하면서 포크와 나이프, 젓가락을 흔든다.

미국에서는 식기는 조용히 다루어야 하고 음식을 자르거나 입에 넣을 때만 사용하도록 되어 있다. 식기를 손에 든 채로 제스츄어를 취하는 것은 아주 예의없는 행동으로 간주된다.

Wave a fork, knife, or chopsticks around while conversing during meals.

In the U.S., silverware is used quietly and only for cutting or bringing food to the mouth. It is considered impolite to gesture with eating utensils.

식사 중에 식탁을 가로질러 물건을 집는다.

한국인들은 옆사람에게 필요한 것을 건네달라고 부탁하기보다는 식탁 위로 팔을 뻗어 직접 집으려 한다. 이것은 식사 중인 다른 사람을 방해하고 싶지 않기 때문이다. 미국인들은 필요한 물건 가까이 있는 사람에게 건네달라고 부탁하는 것을 훨씬 좋아한다. 그들은 자기 팔이 다른 사람의 음식 위로 지나가는 것을 원하지 않는다.

Reach across the table.

Koreans would rather reach across the table to get something than ask others to pass it to them. They do so because they don't want to interrupt those who are eating. Americans much prefer asking a person who is near the item to pass it to them. They don't want their arm to pass over the other person's food.

식사 중에 허리띠를 푼다.

함께 식사 중이던 한국인이 갑자기 허리벨트를 푸는 것을 보면 미국인은 깜짝 놀랄 것이다. 한국 남성은 음식을 충분히 (아니면 너무 많이) 먹어서 벨트가 꼭 조이면 그렇게 하곤 한다. 한국 남성들은 보통 상대방이 눈치채지 못하도록 점잖게 그런 행동을 하지만, 아무리 조심한다고 해도 그런 행동은 같이 식사 중인 미국인을 불편하게 만든다.

Men unbuckle their belts during meals.

During a meal, an American will be shocked to see his Korean counterpart suddenly unbuckle his belt. A Korean man will do so because he has had enough (or too much) to eat, and his belt feels too tight. Korean men usually do this discretely so that their counterpart does not notice it. But, however carefully done, it makes an American at the table feel uncomfortable.

식사 후 소리내어 목을 가신다.

입을 헹구려고 이렇게 하는 한국인들이 몇몇 있다. 이런 행동은 미국인들의 눈에는 지저분하게 보인다.

Gargle noisily after a meal.

Some Koreans do this to rinse their mouths. It is seen as disgusting in the eyes of Americans.

식탁에서 요란하게 이쑤시게를 사용한다.

이쑤시게를 사용할 때 나는 "쓰"하는 날카로운 소리는 미국인들을 매우 불쾌하게 한다. 한국인들은 이를 쑤실 때 눈에 띄지 않게 하려고 손으로 가리곤 하지만, 실제로는 그런 행동이 더욱 시선을 끈다. 미국의 식당에서 이쑤시게는 대개 계산대 근처에 놓여 있다. 사람들은 식당을 나갈 때 이쑤시게를 집어서 아직 식사 중인 다른 사람들에게 방해되지 않도록 밖에 나가서 사용한다.

Use toothpicks loudly at the table.

The sharp sucking sounds produced when using toothpicks are very unpleasant to Americans. Koreans often cover their mouths when picking their teeth to draw less attention, but actually it draws more attention. In American restaurants, toothpicks are placed near the cashier. People take them as they are leaving the restaurant and pick their teeth outside, away from others who are still dining.

물어보지도 않고 커피에 크림과 설탕을 넣어준다.

많은 한국인들이 커피에 크림과 설탕을 넣어 마시기 때문에, 다른 이들도 같은 방식으로 마실 거라고 생각하는 사람들이 있다.

Add cream and sugar to coffee without asking how you like it.

Many Koreans drink their coffee with cream and sugar, so they assume that others want their coffee the same way.

식사 후 바로 자리를 뜬다.

한국인들은 보통 식사 전에 이야기를 나누고, 식사 중에는 별로 말을 하지 않으며, 식사 후에도 바로 자리에서 일어난다. 미국인들은 식사 전에 약간의 이야기를 나눈 후 식사를 하면서 적당한 대화를 나누고, 식사가 끝난 후에도 많은 이야기를 한다. 이러한 식후의 대화는 소화에도 도움이 된다.

Leave quickly after their meals.

Koreans tend to socialize first, eat without much talking, and then get up and go. Americans tend to socialize a little, eat with moderate conversation, and then talk a great deal afterward. This latter conversation allows the "meal to settle."

개인적인 질문을 한다.

한국에 있는 미국인들은 개인적인 문제에 대해 자주 질문을 받는다고
생각한다. 예를 들면, "나이가 어떻게 되십니까?" "결혼은 하셨습니
까?" "왜 아이가 없으십니까?" "한국에는 왜 오셨습니까?" 등이 그것
이다. 한국인들은 대개 외국인들에 대해 관심이 많다. 그러나 이런 질
문들은 미국인에게는 무례한 것이 될 수도 있다.

Ask personal questions.

Americans in Korea frequently find themselves being
asked questions on topics that they consider to be private:
"How old are you?" "Are you married?" "Why don't you
have children?" "Why did you come to Korea?" Koreans are
generally very curious about people from other countries. But
these types of questions may be offensive to Americans.

마지막 순간에 초대하거나 중요한 발표를 한다.

한국의 사업 또는 사교일정은 미국보다 훨씬 유동적인 것 같다. 대개의 미국인들은 자신의 시간을 어떻게 쓸 것인지 미리 잘 계획해둔다. 한국에 거주하면서 일하고 있는 미국인들은 파티나 회의, 또는 새로운 업무일정을 일이 있기 직전에 통보받고 상당히 놀라게 (그리고 불쾌하게) 된다. 비록 그 일이 사전에 잘 계획되었다고 하더라도 외국인들은 통보를 받는 마지막 순서일 경우가 많다.

Make invitations or important announcements at the last minute.

Korean businesses or social schedules seem to be much more flexible than those of Americans. Most Americans plan their time carefully in advance. When living and working in Korea, they may be quite surprised (and unhappy) to receive information about parties, meetings, or new work schedules just before the events take place. Although the events may have been planned well ahead of time, foreigners often seem to be the last ones notified.

학교, 파티, 식사 등에서 남녀가 따로 어울린다.

미국에서는 남녀 혼성 모임이 일반적이다. 한국에서는 성별에 의한 구분이 보다 보편적이어서 남성 또는 여성에게만 국한된 일들이 있다. 미국인들의 남녀평등의 사고방식에 비추어 보면 이런 성별 구분은 아주 부자연스러운 일이다.

Form seperate male and female groups (at school, parties, dinners).

In general, gender mixed groups are the norm in the United States. In Korea, there is much more gender-grouping, with certain activities reserved for either only men or only women. This seems rather strange to Americans and to their sense of equality.

자신이 마신 잔으로 다른 사람에게 술을 권한다.

한국인이 자신이 쓰던 잔으로 술을 권하는 것은 상대방에 대한 진실한 호의의 표현이다. 미국인들은 어릴 때부터 다른 사람의 잔으로 마셔서는 안된다고 배우는데 그것이 비위생적이라고 생각하기 때문이다.

Offer drinks using the same glass the person has been drinking from.

When a Korean offers a drink from the same glass he has used, he is showing true feelings of friendship toward the other person. Americans are taught not to drink out of someone else's glass because it is unsanitary.

손님에게 술 한 잔 더 하라고 강요한다.

이것은 친근함과 관대함을 표현하는 한국인들의 특징적인 행동이다. 때때로 술을 거절하는 가장 좋은 방법은 잔을 채운 채로 두는 것이지만, 이 방법이 항상 효과가 있는 것은 아니다. 한국인들은 자신들이 더 따라 줄 수 있도록 어서 마시라고 독촉할 지도 모른다.

Tend to force guests to drink one more glass of alcoholic beverage.

This is a unique characteristic of a typical Korean's friendly and generous attitude. Sometimes the best way to refuse a drink is to leave your glass full, but it does not always work. Koreans will probably urge you to drink so they can pour some more.

사람들 앞에서 술에 취해 있는 것이 용납된다.

한국에서는 음주가 사업상 필요한 부분일 뿐 아니라 매우 중요한 사교
수단이기도 하다. 가끔 밤에 술취한 사람이 비틀거리며 집으로 돌아가
는 모습을 보게 되기도 한다. 미국에서는 사람들 앞에서 술에 취하는
것은 사회적으로 매우 불명예스러운 것으로, 그것이 체포 또는 구금의
이유가 되기도 한다.

Accept public drunkenness.

In Korea, drinking is an accepted (even necessary) part of
business entertaining and most socializing as well. At
night, one often sees staggering, drunken men making
their way home. In the U.S., public drunkenness carries a
rather strong social stigma; it is also cause for arrest and
possibly going to jail.

모임에서 미국인들에게 노래하라고 강요한다.

사교모임에서 노래를 하는 것은 한국 문화의 일부로서, 참석한 사람들 모두 한 곡씩은 부르는 것이 일반적이다. 그러나, 미국인들 중에는 노래를 듣는 것은 즐기지만 직접 부르는 것은 좋아하지 않는 사람들이 많다. 그리고, 노래방에서 나오는 노래는 대개 한국어로 되어있어 미국인들은 잘 모르는 것들이 대부분이다. 그나마 얼마 안되는 영어 노래들도 미국인들 입장에서 보면 시대에 뒤떨어진 것들이 많다.

Force Americans to sing at gatherings.

It is part of Korean culture to sing at social gatherings, and everyone present is expected to sing. However, many Americans do not care for singing personally, although they may enjoy listening to others. Also, in Noraebangs, Korean singing establishments, most songs are Korean and not known by most Americans. Also, the few English songs in Noraebangs are obsolete in the opinion of many Americans.

한꺼번에 자리를 뜬다.

한국에서는 자신이 속한 집단이 움직이는대로 오고가는 경우가 흔하다. 일원 중의 한 사람이 일어나기로 결정하면 다른 사람들은 재빨리 따르곤 한다. 종종 미국인들은 자기 혼자만이 바에 남아있는 것을 깨닫고 놀라게 된다.

Leave social gatherings in a group.

In Korea, it is common to come and go when your "group" does. People may quickly follow the initiative of one member who decides to leave. This may be surprising to an American, who may suddenly find himself the last one at the bar.

동성과 손을 잡고 걷는다.

한국인들, 특히 한국 여성들 사이에서는 동성간에 손을 잡고 걷는 것
이 매우 자연스러운 일이며, 절친한 친구 사이임을 보여주는 행동일
뿐이다. 그러나 미국인들은 동성간에 손을 잡고 있는 사람을 보면 동
성연애자라고 생각하게 된다.

Hold hands with the same sex while walking.

It is quite natural for Koreans, especially women, to hold
hands with the same sex while walking. It merely shows
good friendship. However, when Americans see someone
holding hands with a person of the same sex, they often think
they're homosexuals.

동성과 춤을 춘다.

미국인들은 한국의 나이트클럽에서 많은 한국인 남녀가 동성끼리 춤을 추고 있는 것을 보고 충격을 받는다. 미국에서는 동성과 춤을 추는 사람들은 동성연애자로 간주될 수 있기 때문이다. 그러나 동성연애자가 흔치 않은 한국에서 이것은 단지 친밀감의 표현으로 장난삼아 하는 것에 불과하다.

Dance with the same sex.

At nightclubs in Korea, Americans are shocked to find many Korean men and women dancing with the same sex. In America, those who dance with the same sex may be regarded as homosexuals. But in Korea, where homosexuals are not so common, it simply shows good friendship and fun.

사업상의 이야기를 시작하기 전에 잡담을 한다.

한국인들은 친밀한 관계가 되기 전에, 또는 최소한 상대방의 의도를 파악하기 전에 구체적인 사업 이야기를 꺼내는 것은 냉정하고 퉁명스럽다고 생각한다. "시간은 돈"이라고 생각하는 미국인들은 일반적으로 최소한의 시간내에 가장 효율적으로 일을 처리하고 싶어한다. 빠듯한 일정으로 한국을 방문하는 미국의 사업가들은 "변죽이나 울리는" 듯한 한국인들의 태도에 조바심을 낼지도 모른다.

Engage in extensive small talk before getting down to business.

Koreans regard it as somewhat cold and brusque to deal with the specifics of business before establishing rapport or, at the very least, determining their counterpart's intentions. Americans, feeling that "time is money," generally want to conduct their business efficiently, in the least amount of time. American businessmen visiting Korea on very tight travel schedules may be frustrated by what appears to be "beating around the bush."

말하는 것이 모호하다.

가족이나 가까운 친구 사이를 제외하고, 한국인들은 미국인들에 비해 간접적으로 이야기하는 경향이 있다. 한국인들은 논쟁을 피하거나 무례하게 보이지 않으려고 대화 중에 "아마..." "...일 것 같아요" 등의 표현을 자주 쓰는데, 이것은 명확하고 직접적인 의견이나 사실 표명을 원하는 미국인들을 짜증나게 할 수도 있다.

Are vague in speaking.

Except among family or close friends, Koreans are less direct in speech than are Americans. To avoid confrontation or rudeness, Korean conversation is full of words like "Maybe...," and "I think it's possible that...." This can be irritating for Americans, who usually want to hear clear, direct opinions and statements of fact.

거절의 뜻을 분명히 밝히지 않는다.

한국인들이 "아니, 그렇게 할 수 없어."라고 직접적으로 말하기 싫어하는 것은 그 말을 듣는 상대방의 기분을 상하게 하지 않으려 하기 때문이다. 같은 한국인이라면 굳이 말로 하지 않더라도 "싫다"는 의사를 알아차릴 수 있겠지만, 미국인들은 "싫다"고 분명히 말하지 않으면 "좋다"는 뜻으로 해석할 것이다. 이것이 종종 심각한 오해의 소지가 된다.

Don't say "No!"

Koreans do not like to directly say "No, I cannot do that," because they do not want to hurt the other person's feelings. Koreans can pick up the non-verbal cues which mean "No," but Americans, not hearing a verbal "no," assume that the answer is "yes." This often results in serious misunderstandings.

토론에 적극적이지 못하다.

한국인들은 누군가로부터 자신의 의견을 요청받고서야 의견개진을 하는 경우가 많다. 그런 점에서, 원할 때는 언제든지 "자기 생각을 이야기"하는 미국인들과는 대조적이다. 미국에서는 누구나 자신의 의견을 자유롭게 피력하는 것이 당연시된다.

Don't contribute much to discussions.

In many situations, Koreans prefer to wait until they are directly asked before giving an opinion. This strongly contrasts with the American style of "speaking one's mind" anytime the urge strikes. In the United States, one is expected to share opinions freely.

"우리 한국사람들은..."이라고 말한다.

한국인들은 자신이 여러 집단의 일원, 궁극적으로는 한국이라는 한 나라의 구성원이라고 생각하는데서 안도감을 느끼는 것 같다. 이것은 그들이 "내 어머니," "내 선생님," "내 나라"라고 말하는 대신 "우리 어머니," "우리 선생님," "우리 나라" 라고 말하는 데서도 드러난다. 반면, 미국인들은 우선 자신을 하나의 "개체"로 생각한다. 미국인들이 의견을 제시할 때 "우리 미국인들은..."이라고 시작하는 경우는 거의 없다. 그런 표현 자체가 개인주의라는 미국의 기본전제를 부정하는 것이기 때문이다.

Begin sentences with "We Koreans..."

Koreans seem to feel most secure thinking of themselves as members of various groups, the largest of which is the Korean nation. They usually say "our mother," "our teacher," "our country," instead of "my mother," "my teacher," "my country." On the other hand, Americans like to consider themselves "individuals" first and foremost. An American would rarely introduce an opinion by saying. "We Americans..."; such a phrase negates the essential American premise of individuality.

두 번 이상 권하지 않으면 받아들이지 않는다.

한국에서 어떤 제안에 대한 첫번째 거절은 일종의 예의로 간주된다. 그러나 이런 행동을 접하는 미국인들은 그 거절이 진심이라고 생각할 수 있다. 미국인들에게 "아뇨, 됐습니다."는 말 그대로 거절의 뜻으로, "받아들일 때까지 계속 권하세요."라는 의미가 아니다.

Don't accept an offer unless asked two (or more) times.

In Korea, it is considered polite to refuse an offer initially. Americans who encounter this behavior will probably think the refusal is final. To an American, "No, thank you," usually means exactly that; it hardly ever means "Please insist until I accept."

영어 연습을 위해 전철에서 서양인과 대화를 시도한다.

많은 한국인들이 영어를 공부하고 있고 대개는 서양인에 대해 호기심이 많다. 미국인 중에는 전혀 모르는 사람과의 대화를 즐기는 사람도 있겠지만, 이런 요청을 사생활에 대한 침해로 간주하는 사람도 많다. 그들은 자신들이 단순히 "이용당하고 있다"는 느낌을 받을 지도 모른다.

Attempt to strike up conversations on the train with Westerners in order to practice English.

Many Koreans are studying English and most of them are curious about Westerners. Although some Americans may be happy to talk with complete strangers, many resent these requests as intrusions on their privacy. They may also feel as if they are simply being "used."

한국어 사용, 한국 문화에 대한 지식, 심지어는 젓가락 사용법에 대해서까지 외국인을 칭찬한다.

한국에 살고 있는 외국인들은 종종 자신들에게는 이미 제 2의 천성이 되어버린 지식이나 능력에 대해 칭찬받고 당황스러워한다. 한국인이 나이프와 포크 사용법, 넥타이 매는법, 심지어 흔한 영어 인사 한마디 를 알고 있다고 해서 칭찬받을 때 어떤 기분이 들지 생각해보라.

Praise non-Koreans for skills such as using the Korean language, knowledge about Korea and its culture, or even the ability to use chopsticks.

Non-Koreans living in Korea often find themselves receiving compliments about knowledge or abilities that have become second nature to them. This is somewhat dismaying to them. Imagine how a Korean might feel if he were complimented on his skillful use of a knife and fork, ability to tie a necktie, or even his use of common English greetings.

아무데서나 화투를 한다.

많은 한국인들이 심지어는 비행기 안에서조차 화투를 하는데, 주변 사람들은 대개 이것이 싫기 마련이다. 미국인들에게는 화투를 칠 때 나는 소리가 짜증스럽게 들린다.

Play Hwa-Tow (Korean cards) anywhere and everywhere.

Many Koreans do this, even on airplanes, but most people around them don't like it. Americans find the constant slapping of cards annoying.

남성들이 여성들에게 불친절하다.

한국은 유교권에 속한 남성 우위의 사회이다. 점차 변화하고 있기는 하지만, 요즘도 한국에 있는 미국인들은 젊은 한국인 남녀가 식당에 들어갈 때 남자가 여자를 위해 문을 열어주지 않거나 남자가 먼저 들어가는 것을 보고 의아해 한다. 이것은 미국의 "레이디 퍼스트"와는 상반되는 관습이다.

Men seem unkind to women.

Largely due to Confucianism, Korea is a male-dominated society. Although it's changing, even today Americans are surprised to see that when a young couple enters a restaurant, the man often doesn't open the door for the lady. Sometimes, he will even go first! This custom is the opposite of the American practice of "ladies first."

사람들이 내리기도 전에 전철이나 엘리베이터에 올라탄다.

어떤 한국인들은 다른 사람들이 내리기도 전에 전철이나 엘리베이터에 올라타곤 한다. 대개의 미국인들은 전철이나 엘리베이터를 탈 때 내릴 사람이 모두 내리기를 기다렸다가 타는 것이 보통이다.

Get into subways or elevators before others get off.

Some Koreans get into subways or elevators before others get off. When getting into subways or elevators, most Americans wait until everyone has gotten off.

전철에서 남자들이 다리를 벌리고 앉는다.

몇몇 한국 남성들은 주위 사람들을 전혀 배려하지 않는 듯하다. 혼잡
한 전철에서 다리를 벌리고 앉는 것은 옆사람을 불편하게 할 뿐 아니
라, 특히 여성들에게는 점잖지 못하게 보인다.

Men sit with their legs outstretched on subways.

Some Korean men don't seem to think about those around them. On a crowded subway, to sit with one's legs outstretched makes others uncomfortable. This posture also looks ugly, especially to women.

운전자들이 끼어들기를 한다.

한국의 운전자 중에 습관적으로 끼어들기를 해서 교통 체증을 유발하
거나 사고를 일으키는 사람들이 있다. 그들은 종종 "미안하다"는 뜻으
로 손을 흔들어 보이기도 하지만 그것이 끼어들기를 당하는 다른 운전
자의 불쾌감을 덜어주지는 못한다.

Drivers try to cut in line in traffic.

Some Korean drivers habitually cut in line in traffic, which
results in further congestion and sometimes in accidents.
They often wave their hands to say "Excuse me," but that
doesn't reduce the other driver's displeasure.

운전자가 보행자에게 양보하지 않는다.

한국인 운전자들 중에는 너무 조급해서 보행자에게 양보를 하지 않는
사람들이 많다. 그들은 브레이크를 밟는 대신 자주 경적을 울리곤 한
다. 한국인들 역시 이것을 무례한 행동으로 생각한다.

Drivers don't yield to pedestrians.

Many Korean drivers do not yield to pedestrians because
they are in too much of a hurry. They utilize their horns in place
of their brakes. Koreans also feel this is rude behavior.

운전자들이 비상등을 켠 앰뷸런스나 소방차, 경찰차에 양보하지 않는다.

모든 운전자들이 이런 나쁜 습관을 버려야 한다. 비상 차량이 지나가게 되면 모든 차량은 속도를 줄이고 길 한쪽으로 비켜주어야 한다.

Drivers don't yield to ambulances, fire trucks, or police cars, even when those vehicles have emergency lights flashing.

All drivers should correct this bad habit. When encountering emergency vehicles, all traffic should reduce speed and pull over to the side of the road.

불법으로 주차하여 교통을 마비시킨다.

미국인들은 명확한 주차 법규에 익숙해져 있기 때문에, 함부로 주차 질서를 위반하는 것을 보게 되면 종종 당황하게 된다. 차량의 수에 비해 도로가 너무 좁다는 사정을 감안한다 해도 이는 마찬가지이다.

Drivers park illegally and block traffic.

Americans are accustomed to well-defined traffic rules regarding parking, and are often taken aback when there is a lack of order concerning parking, though it is simply a case of too many cars on too little pavement.

택시 운전자들이 승차를 거부한다.

특정 시각, 특정 지역의 서울의 교통은 매우 혼잡하기 때문에 택시 운전자들은 이런 지역에 가려는 승객들을 태우고 싶어하지 않는다. 교통 체증에 걸려 손해를 볼 수도 있기 때문이다. 어쨌든, 이것은 시정되어야 할 부분이다.

Taxi drivers with no passengers sometimes refuse to pick up certain passengers.

Because Seoul traffic is very congested in certain areas at certain times, taxi drivers try to avoid passengers who might want to go to these areas. They lose money sitting in traffic jams. It is a bad practice that should be discouraged.

버스가 정류장을 그냥 지나쳐 버린다.

버스 회사들은 운전자들이 지켜야 하는 회차수를 규정해 놓고 있다. 서울과 같은 도시의 경우, 교통 체증으로 인해 빠듯한 배차시간을 지키기 어렵게 되므로, 운전자들은 내릴 승객이 없는 경우 정류장을 그냥 지나쳐버리기도 한다. 이유야 어쨌든, 이것은 오랫동안 버스를 기다린 사람에게는 짜증스러운 일이 아닐 수 없다.

Buses drive by without stopping.

Bus companies specify a number of round trips per day for drivers. The heavy traffic in cities like Seoul make it difficult for the drivers to keep their tight schedules and this often leads them to skip stops when there is no one to drop off. In any case, this irritates people who have been waiting for the bus for a long time.

버스와 대형 트럭을 난폭하게 운전한다.

버스, 트럭, 그리고 소위 '직업적인 운전자'들이 마치 도로의 주인이나 되는 듯 교통법규에 거의 신경을 쓰지 않는다. 그들은 시끄럽게 경적을 울려서 다른 운전자들을 위협하기도 한다. 이것은 위험할 뿐만 아니라 모든 사람들의 스트레스를 가중시킨다. 대형 차량이라고 해서 티코 같은 소형차보다 더 많은 권리를 갖고 있는 것은 아니다.

Buses and large trucks act outrageously.

Buses, trucks, and other so-called "professional drivers" act as though they own the road and give little regard to Korean traffic laws. They often intimidate other drivers by loudly blowing their horns. This is not only dangerous, but it also raises the stress level of all people. Large vehicles have no more right on the road than the smallest vehicles - Tico.

승무원의 경고에도 불구하고 비행기가 착륙해서 멈추기 도 전에 미리 안전벨트를 풀고 일어선다.

이것은 승객 자신의 안전을 위해 바람직하지 않다. 한국인 승무원들은 승객들에게 비행기가 완전히 멈출 때까지 안전벨트를 착용하도록 보다 적극적으로 말할 필요가 있다.

Remove their seat belts and stand up in an airplane immediately upon landing, even though the flight attendant has told the passengers to remain seated.

This is not desirable for safety reasons. Korean flight attendants should more strongly urge Korean passengers to abide by this rule.

사무실 책상에 화장실용 휴지를 놓고 쓴다.

한국에서는 사무실이나 일반 가정에서 티슈 대신 화장실용 두루마리 휴지를 사용하는 것이 흔한 일이다. 대개의 회사나 가정이 잡비를 줄이려 하고 있고, 티슈는 그런 품목 중의 하나이기 때문이다. 그러나 두루마리 휴지는 화장실에서만 사용하는 것으로 생각하는 미국인들에게 이것은 좀 우스꽝스러워 보인다.

Place a roll of toilet paper on a desk in an office.

In Korea, a roll of toilet paper is often used instead of tissue paper for the office and home. Most companies and households want to cut down on miscellaneous expenses, and tissue is one of them. But to Americans, who expect a roll of toilet paper to be used only in a rest room, it looks a little ridiculous.

얼굴이 굳어있고 표정이 없다.

다른 사람에게 속마음을 드러내지 않는 것은 한국 문화의 일부분이다.
이러한 경향은 부분적으로는 한국인들이 어렸을 때부터 헤프게 웃으면
안된다고 교육받는 데에서 비롯된다. 미국인들은 자신의 감정 표현, 특
히 웃음에 있어서 훨씬 개방적이다. 따라서 모르는 사람에게도 미소를
건네는 미국인들에게 한국인들의 무표정한 얼굴은 오해를 사기 쉽다.
L. A. 를 비롯한 미국 도시의 한국 상점을 찾는 손님들은 한국인 주인의
이런 태도가 오만하게 느껴질 수 있다. 그러나 이것은 한국 문화에 대한
이해 부족에서 생기는 오해이다.

Have facial expressions that are flat and dull.

It is a part of Korean culture not to reveal your inner
feelings to others. This is partly because Koreans are
taught from childhood that you shouldn't laugh
excessively. Americans are much more open with their
emotions, especially laughter, so the Korean's flat
expression can cause misunderstandings for Americans who
are used to greeting strangers with a smile. Some
customers at Korean stores in Los Angeles and other cities
in America may feel a condescending attitude from
shopkeepers, but this is primarily due to a lack of
understanding to this aspect of Korean culture.

당황했을 때 미소짓거나 웃는다.

한국인들은 실수를 했을 때 당황스러움을 감추기 위해 미소를 짓는 경우가 자주 있다. 이것은 실수한 사람에게 진지한 사죄의 표정을 기대하는 미국인들에게 종종 오해의 소지가 된다. 미국인들에게는 그런 상황에서의 미소는 "잘못은 했지만 신경 안 쓴다."는 뜻으로 해석되기 때문이다. 더우기 미국인이 실수를 했을 때 웃는다면 그는 틀림없이 화를 낼 것이다.

Smile or laugh when confused or embarrassed.

When Koreans make mistakes, they often smile to conceal embarrassment. This is often misunderstood by Americans, who usually expect a person to look "contrite." To an American, a smile on such an occasion means "I have done something wrong, but I don't care." And if you laugh when an American makes a mistake, you will probably make him angry.

고액의 지폐를 사용한다.

한국에서는 액수가 크건 적건 현금 지불이 일반적이다. 반면에 미국인
들은, 특히 액수가 많을 경우, 현금보다는 신용카드나 개인수표를 사
용한다. 따라서, 미국에 있는 작은 상점들은 고액지폐를 내는 손님에
게 거슬러 줄 잔돈이 충분히 준비되어 있지 않은 경우가 많다. 게다
가, 계산원이나 점원들은 손님이 낸 지폐가 위조지폐가 아닌가 하고
유심히 살펴볼 지도 모른다.

Use large bills (e.g., $100) when paying.

In Korea, it is usual to pay in cash, whether the amount is large
or small. On the other hand, Americans use credit cards or
personal checks rather than cash, especially when the
amount is large. So, many small stores in America don't have
enough cash to make change for customers who pay in large
bills. Furthermore, cashiers and store clerks may also look
at the bill carefully to make sure that it is not counterfeit.

팁 주는 것을 잊어버린다.

한국에서는 팁 주는 일이 드물기 때문에, 서양의 여러나라를 여행하는 한국인들은 종종 팁 주는 것을 잊어버리곤 한다. 미국의 종업원들은 수입의 상당부분을 팁에 의존하고 있고 자신의 봉사에 대해 최소한의 팁이라도 받을 것을 기대한다.

Forget to tip service workers.

As tipping is rare in Korea, Koreans may forget on occasion to do so when visiting Western countries. American service workers depend on tips for a sizable portion of their income and they expect at least a minimum tip for the work they perform.

나이를 업무 능력보다 더 중요하게 생각한다.

한국의 회사에서는 승진이 근속연수로 결정되는 경우가 흔히 있다. 대기업의 상위 경영진이 대개 중장년층으로 구성되어 있는 것도 이런 이유에서이다. 미국에서 이상적인 승진은 열심히 일한 댓가로 얻어지는 것이며, 유능한 사람은 나이와 상관없이 보다 빨리 승진하게 된다.

Regard seniority as more important than achievement or ability.

It is quite common in Korean companies for advancement to be determined by how long one has been there. The upper management in a large company is usually composed of elderly men. In the U.S., the ideal is that promotions come with hard work and productive people will rise quickly -- regardless of their age.

사원 선발에 있어서 능력보다 연고를 중요시한다.

어떤 집단의 일원이냐 하는 것은 한국 사회에서 매우 중요한 문제로서, 일부 회사들은 개인적인 연고에 의해 사람을 고용하기도 한다. 공통된 교육 배경이나 관련 회사에서의 업무 경험, 친한 친구의 편지나 전화 등이 고용의 기준이 되는 경우가 종종 있다.

Regard connections as more important than ability in choosing job candidates.

Because the concept of group is so important in Korea, some companies often hire people through personal connections. These connections can result from relationships forged through common educational experience, previous work experience in a related company, or perhaps simply a letter or phone call from a trusted friend.

주택이나 건물에 주소가 없다.

한국의 주소 체계는 갓 도착한 미국인들에게는 악몽이다. 미국에서는 주택이나 건물이 거리를 따라 순서대로 번호가 매겨져 있다. "구," "동," "번지" 와 같은 한국의 주소 체계는 미국인들이 이해하기에는 상당히 어려운 것이 사실이다.

House and building addresses are unmarked.

The Korean address system is a nightmare for newly arrived Americans. In the United States, house and building numbers follow a strict numerical sequence down the street. The Korean system of "gu," "dong," and "bunji" is difficult for Americans to follow.

양쪽으로 되어있는 출입문을 한쪽만 열어둔다.

건물의 출구와 입구가 명확히 구분되어 있는 것을 좋아하는 미국인들은 이것을 매우 불편하게 여긴다. 한국을 방문하는 외국인들은 좁은 출입구에서 다른 사람과 마주치게 되면, 누가 양보를 해야 할 지 순간적으로 망설이게 된다.

Businesses or offices unlock only one door at the entrance (when there are double doors).

This is frustrating for Americans, who prefer a clearly defined path for entering and exiting a building. In Korea, foreign visitors may be momentarily caught wondering who should yield to whom at the narrow entrance.

대학생들이 열심히 공부하지 않는다.

한국의 대학에 있는 미국인 강사들은 시험 기간을 제외하고는 학생들이 그리 학업에 충실하지 않는 것에 당혹감을 느낀다. 한국 대학의 중요한 기능 중의 하나는 학생의 사회화를 진전시키는 것임을 명심할 필요가 있다. 따라서, 대학생들은 이성교제, 클럽활동, 운전교습, 아르바이트 등 미국 학생들이 고등학교 시절 열심이었던 여러가지 활동에 몰두하게 된다.

College students don't study very hard.

American teachers at Korean universities are frustrated to find that many of their students don't study very hard (except during exam period). It should be kept in mind that one of the important functions of Korean colleges is to further the students' socialization. Thus, students become very involved in activities that preoccupy Americans during high school: dating, club activities, learning to drive, and working at part-time jobs.

전철이나 버스에서 잠을 잔다.

출퇴근 시간에 한국의 도시에서는 버스나 전철 승객의 절반 이상이 머리를 계속 흔들면서 졸고 있는 모습을 보게 된다. 이것은 미국에서는 그리 흔한 광경이 아닌데, 미국인들은 낯선 사람들 앞에서는 정신을 똑바로 차리고 있어야 한다고 생각하기 때문이다.

Sleep on trains or buses.

Especially during rush hour periods in Korean cities, one may find more than half of those riding public transport napping, heads nodding repeatedly. This does not happen much in the U.S., where people feel they must maintain alertness while in the company of strangers.

어린아이의 엉덩이를 토닥거린다.

몇몇 한국인들, 특히 한국 여성들은 전혀 모르는 사람의 아이를 건드리거나 토닥거리는 일이 흔히 있다. 이것은 단지 아이가 귀여워서 나온 행동으로, 한국인들에게는 악의없는 것으로 이해되지만, 미국인 부모들에게는 몹시 신경이 쓰이는 일이다.

Pat a young child on the behind.

Some Koreans, especially women, often touch or pat a total stranger's child. It simply means that they think the child is cute. Although understood by Koreans as harmless, it may be cause for concern for an American parent.

외국인이라는 이유로 물건값을 터무니없이 올린다.

이것은 남대문시장과 같은 한국의 전통 시장에서는 흔히 있는 일인데, 그런 곳에서는 정찰제를 적용하지 않아 흥정이 일반적이고 또 받아들여지기 때문이다. 그러나, 가격표를 부착하고 있는 대부분의 한국 상점에서는 가격을 임의로 올리거나 내리지 못하도록 되어있다.

Raise prices because the customer is a foreigner.

It happens at Korean traditional markets such as the Namdaemun Market, where shopkeepers don't adopt a fixed price system and bargaining is usual and acceptable. However, most Korean stores attach price tags to their goods, so it is not permitted to raise or discount the prices.

미국을 위험한 곳으로 묘사한다.

한국의 텔레비젼은 자주 미국을 부정적으로 묘사한다. 미국이 많은 문제점을 안고 있는 것은 사실이지만, 미국의 대부분을 구성하고 있는 것은 대도시가 안고있는 그런 문제점들을 거의 찾아볼 수 없는 소규모의 도시와 마을이라는 것을 고려해야 한다.

Describe America as a "dangerous" place.

Television shows in Korea frequently portray America negatively. Although America has many problems, it should be noted that most of America is made up of small cities and towns that generally have fewer problems than the big cities frequently portrayed.

공중 화장실이 남녀 공용으로 사용된다.

어떤 여성이 화장실에서 나오자마자 자신에게 등을 돌리고 볼일을 보고 있는 한 남자를 보았다고 상상해보라. 한국의 작은 건물이나 식당에는 화장실이 남녀 공용으로 되어있기 때문에 남녀가 동시에 같은 화장실을 사용하게 되는 경우가 있다. 또, 남녀 화장실이 별도로 있다고 하더라도 바로 옆에 나란히 붙어있는 경우가 흔히 있다. 이것은 미국인들에게는 놀랍고도 당황스러운 일이다.

Public rest rooms are used commonly by men and women.

Imagine a woman leaving a toilet to find a man standing with his back to her. In some small buildings or restaurants in Korea, where men's and women's toilets are in the same rest room, men and women use the rest room simultaneously. Even when the rest rooms for men and women are separate they are sometimes side by side. This is surprising to Americans and can be embarrassing.

공중 화장실에 화장지나 타월이 없는 경우가 자주 있다.

"맙소사!" 이것은 화장지를 준비하지 않은 미국인에게는 정말 불쾌한
경험이다. 한국인들은 이런 경우를 대비하여 휴대용 티슈를 갖고 다니
며, 손을 닦을 손수건을 가지고 다니는 것이 보통이다.

Public rest rooms often do not have toilet paper or paper towels.

"Oh, no!" This can be a very unpleasant surprise for an
unprepared American. Koreans often carry small packets of
tissue for just such a situation. They also usually have a
handkerchief to use as a hand towel.

어메리컨
UGLY AMERICANS

Koreans think
it's ugly when
Americans…

둘째 손가락을 놀려서 사람을 부른다.

한국인들은 동물을 부를 때나 둘째 손가락을 사용하며, 사람을 부를 때는 그렇게 하지 않는다. 그러나 미국에서 이 제스추어는 상대방을 좀 더 가까이 오도록 할 때 흔히 쓰인다.

Beckon someone using the index finger.

Koreans use their index finger only when beckoning animals, never to beckon a person. This is a common gesture used in America to ask someone to come closer.

둘째 손가락으로 사람을 가리킨다.

많은 미국인들이 상대방의 주의를 끌기 위해서 이렇게 한다. 그러나, 이 제스추어는 미국에서도 무례한 행동으로 간주되며, 한국에서는 상대방을 비난하는 의미까지 포함하고 있다. 사람을 가리킬 때는 손가락으로 지적하는 대신, 그 사람이 있는 방향으로 손바닥을 펴서 가리키는 것이 좋다.

Use the index finger to point at someone.

Many Americans do this to gain the full attention of another person. However, this gesture is generally considered to be rude even in America, more so in Korea, where it seems like an accusation. Use an open palm gesture in the other person's direction instead of pointing.

어린아이의 코를 떼어간다는 우스개의 의미로 검지와 중지 사이에 엄지를 끼워보인다.

한국에서 이 제스추어는 미국에서 가운데 손가락을 세워보이는 것에 못지않는 외설적인 의미를 갖는다. 미국에서 이것은 어린아이를 놀리는 행동에 불과하다.

"Steal" a child's nose in fun and show it to him by placing one's thumb between the index and middle finger.

In Korea, this gesture is as obscene as an extended middle-finger in America. In America, it is just a traditional way of teasing a young child.

악수를 너무 세게 한다.

아이구, 아파! 미국 남성들은 종종 신뢰감 또는 친밀감의 표시로 힘찬 악수를 하며, 최소한 상대방이 악수를 할 때 약간이라도 힘을 주기를 기대한다. 그러나 미국인들은 한국인과 악수를 할 때는 손을 너무 꽉 쥐지 않도록 주의해야 한다.

Shake hands too firmly.

Ouch! That hurts! American men often shake hands firmly as a sign of confidence or friendliness. At the very least, they expect slight pressure in the grip of their counterparts. But Americans should be careful not to be over zealous in shaking hands with Koreans.

연장자 앞에서 담배를 피운다.

한국에서는 연장자 앞에서 담배를 피워서는 안된다. 이것은 무례한 행동으로 간주된다.

Smoke in front of older people.

In Korea, one should never smoke in front of an older person; it is considered rude.

연장자에게 한 손으로 물건을 주고 받는다.

미국인들은 대개 한 손으로 물건을 주고 받는다. 미국인이 두 손으로
물건을 주고 받는다면, 그것은 우연한 일이거나 들고 있는 물건이 너
무 무겁기 때문이며, 상대가 연장자이기 때문은 아니다. 그러나, 나이
많은 한국인에게 한 손으로 물건을 주고 받는다면, 그것은 무례한 행
동으로 여겨질 것이다. 한국인들에게는 연장자에게 존경심을 표하는
것이 매우 중요한 일이다.

Use one hand to give things to and receive things from elders.

Americans usually use one hand when giving or receiving. If
an American uses two hands, it's just an accident or it's because
the package he is holding is too heavy; it is not because the
other person is older. However, if you give or receive things
from Korean elders with one hand, you will be considered rude.
To Koreans, showing respect to elders is an important
matter.

상급자 앞에서 다리를 꼬고 앉는다.

이것은 미국에서는 단지 편히 앉는 자세일 뿐이지만, 한국에서는 상급자나 연장자 앞에서 이렇게 격의없이 앉는 것은 예의에 어긋난다고 생각한다. 여성의 경우 특히 그러한데, 여성들은 관례상 두 발을 바닥에 붙이고, 다리는 모으거나 발목 부분에서 교차시키는 것이 보통이다.

Sit with legs crossed in front of a superior.

Though it is simply a comfortable way to sit in the U.S., in Korea, this casual style of sitting is not considered polite when in the presence of a superior or an elder. It is especially inappropriate for women, who customarily keep both feet on the floor, legs together or crossed at the ankles.

사무실에서 책상이나 의자에 발을 올려놓는다.

이것은 미국인들이 휴식을 취할 때 흔히 취하는 자세이다. 미국인들은 "발을 올려놓고 잠시 쉬어라."는 표현을 즐겨 사용하기도 한다. 그러나 이런 행동은 한국의 사무실에서는 주위 사람들을 전혀 배려하지 않는 무례한 행동으로 받아들여진다.

Put their feet up on a desk or chair in an office.

This is a common way for Americans to relax. Americans have a commonly used expression, "Put your feet up and stay a while!" This is very impolite in a Korean office; it shows no respect.

상사가 사무실에 들어오더라도 일어나지 않는다.

전통적으로 유교의 영향을 받은 한국인들은 상급자나 연장자에게 존경
심을 표하는 일을 매우 중요하게 여긴다. 상사가 사무실에 들어오면 사
원들은 대개 존경심을 표하기 위해 자리에서 일어난다. 그러나, 기본적
으로 자신과 상사를 동등하게 생각하는 미국인들은 실제 업무가 존경심
을 표하는 일보다 중요하다고 할 것이다.

Don't stand up when a superior enters the office.

Koreans, who have been traditionally influenced by
Confucianism, regard it important to show respect to their
superiors or elders. When a superior enters the office,
Korean workers usually stand up to show respect. However,
Americans who basically think they are equal with their
superiors will say that showing respect is less important
than doing their work.

상급자에게 인사를 하는 대신 손을 흔든다.

한국인들은 상사나 연장자와 마주치게 되면 항상 허리를 굽히거나 고개를 숙여 인사를 한다. 상급자와 하급자가 동등하다고 생각하는 미국인들은 대개 서로 손을 흔든다. 이러한 사회적 지위의 평준화는 한국인들에게는 생소한 것이다.

Wave instead of bow when they encounter a person of higher status.

Koreans invariably bow or nod to a superior or an elder when they happen to meet in passing. Americans, preferring to maintain the ideal that both parties are "equal," usually wave to each other. This leveling of social stature does not sit well with Koreans.

상사가 얘기하는 중에 "어-허"하는 소리를 낸다.

미국인들은 상대방의 이야기에 열심히 귀를 기울이고 있다는 뜻으로
이런 소리를 낸다. 그러나 한국에서는 상사가 하급자의 이야기를 듣는
중에 이와 유사한 소리를 낸다. 따라서, 나이많은 한국인과 얘기하고
있을 때는 이런 소리를 내지 않도록 주의하는 것이 좋다.

Make the sound "Uh-huh" when a superior is speaking.

In America, people often utter this sound to show intent
listening during a conversation. But in Korea, it is similar to
the sound used when a superior is listening to a subordinate.
Therefore, you'd better be careful not to make these
sounds when you speak with older Koreans.

대화 중에 주머니에 손을 넣고 있다.

서서 대화하고 있는 친구 사이에서부터 기자회견 중인 대통령에 이르기까지 미국인들은 이런 격의없는 자세를 흔히 취한다. 이것은 그 사람이 긴장하고 있지 않은 편안한 상태임을 보여주는 행동이다. 그러나, 한국인들, 특히 연장자들에게는 상대방을 존중하지 않거나, 상대방의 이야기에 귀기울이지 않거나 전혀 관심이 없는 태도로 보일 수 있다.

Keep hands in pockets while speaking.

This casual posture is common among Americans, from two friends standing and talking all the way up to the president at a press conference. It indicates a feeling of being at ease. However, for Koreans, especially for older people, it may appear as if the other person is being disrespectful, isn't really listening, or doesn't care what the speaker is saying.

대화 중에 팔짱을 끼고 있다.

이것은 미국인들이 뭔가 주의깊게 생각하고 있을 때 취하는 자세에 불과하다. 그러나 한국에서 이런 태도는 다른 사람의 의견에 대한 단호함이나 불찬성을 의미한다.

Cross their arms when talking.

To Americans, this is a casual posture which simply indicates that the person is considering something carefully. But in Korea it more often conveys sternness or disapproval toward the other person.

대화 중에 너무 빤히 쳐다본다.

미국에서는 상대방의 눈을 쳐다보는 것이 효과적인 의사소통을 위한 중요한 요소가 된다. 그것은 마음에서 우러난 관심과 존경의 표현이기도 하다. 그러나 한국인들은 대화 중에 미국인들이 너무 빤히, 그리고 오래 쳐다본다고 느낀다. 한국에서 대화 상대방을 편안하게 해주려면, 대화 중에 상대방을 잠시 본 다음에는, 시선을 돌렸다가, 다시 시선을 교환하는 것이 좋다.

Use too much eye contact during conversation.

Direct eye contact is an important part of successful communication in America. It conveys genuine interest and even respect. But to Koreans it seems that Americans stare too intensely and too long during conversation. In Korea, in order to make people feel comfortable, look at the person who you are speaking to for a moment, look away, and then make eye contact again.

대화 중에, 운동 중에, 심지어는 강의 중에도 껌을 씹는다.

미국인들은 아마 세계에서 가장 껌을 많이 씹는 사람들일 것이다. 그러나, 대화 중에 껌을 씹는 것은 한국인들에게는 대단히 무례하게 보인다. 한국인들도 껌을 씹긴 하지만 훨씬 더 때와 장소를 가려서 씹는다.

Chew gum in social situations: while conversing, playing sports, or even teaching.

Americans may be the world's champion gum chewers. To Koreans, however, they appear quite rude when they chew gum while talking. Not that Koreans do not chew gum, it's just that they generally do so much more discreetly.

사람들 앞에서 키스를 한다.

미국인들도 공적인 행동과 사적인 행동을 구별하긴 하지만, 사람들 앞
에서의 키스는 대개는 무리없이 받아들여지며, 이것은 미국인들의 사
고방식으로는 표현의 자유에 해당하는 예이기도 하다. 반면에, 한국인
들은 대개 사람들 앞에서 애정을 표현하지 않는다. 이런 경향은 젊은
이들 사이에서는 바뀌고 있긴 하지만, 포옹이나 키스는 아직까지도 매
우 개인적인 행동으로 간주된다. 많은 한국인들에게 키스는 강한 성적
의미을 함축하고 있다.

Kiss in public.

Though Americans distinguish between public and private
behavior, kissing in public is normally an acceptable
behavior and might be seen as an example of the American
idea of freedom of expression. Koreans, on the other hand,
generally do not show romantic affection in public. Although
this is changing among young people, hugging and kissing
are usually regarded as private behavior. For many Koreans,
a kiss carries a rather strong sexual connotation.

강의 중에 테이블이나 책상에 앉는다.

미국의 학교에서는, 이런 편안한 자세가 교사와 학생이 허물없고 친밀한 관계를 지니고 있음을 보여준다. 한국에서는 교사의 사회적 지위가 학생보다 훨씬 높으며, 한국인들은 교실이 스스럼없는 장소가 되어서는 안된다고 생각한다.

Sit on a table or desk when lecturing.

In American schools, this relaxed posture shows that the teacher and the students enjoy an informal, friendly relationship. In Korea, a teacher's social position is much higher than that of the students, and consequently Koreans generally feel that the classroom is not a place for informality.

입에 필기도구를 문다.

웩! 미국인들은 강의를 듣는 동안이나 생각에 잠겨있는 동안, 자주 필기도구를 씹거나 빨곤 한다. 그런 행동은 뭔가에 깊이 몰두하고 있다는 뜻이지만, 한국인들의 눈에는 품위없고 유아적인 행동으로 보인다.

Hold a pen or pencil in their mouths.

Yuck! Americans frequently chew or suck on writing instruments while listening to a lecture or thinking. It seems to convey a sense of deep concentration, but it looks rather unrefined and child-like to Koreans.

집안에서도 신을 신는다.

의자와 침대에서 생활하는 미국인들에게는 방바닥에서 생활하는 한국인들에 비해 바닥의 청결이 그리 큰 문제가 되지 않는다. 그러나 한국 가정을 방문하는 미국인 손님이 신발을 벗지않고 침대에 눕는다면, 한국인 주인은 질색을 할 것이다. 물론 미국인들도 신발이 더러울 때는 신을 벗지만, 한국에서는 어떤 경우에도 집안에서 신을 신어서는 안된다.

Wear shoes inside the home.

Since Americans use chairs and beds, the cleanliness of floors are not considered as important as in Korea, where people traditionally sit and sleep on the floor. However, if an American visiting a Korean house lies on a bed in a Korean house without taking off his/her shoes, it is appalling to the Korean host. Of course, Americans will not do this if their shoes are dirty. In Korea, they shouldn't do it at all.

차 안에서 음악을 크게 틀어놓는다.

이런 경솔한 행동의 근원은 미국 헌법의 뼈대를 이루고 있는 자유의 개념에서 비롯된다. 미국의 젊은이들이 어떻게 차를 몰고 가건, 어떤 종류의 음악을 듣건, 얼마나 크게 듣건 그것은 그의 자유이다. 특히 거친 젊은 세대들은 이런 권리의 행사를 좋아한다. 한국에서는 시끄러운 음악은 클럽에서나 듣고, 가정집에서도 음악의 볼륨을 높이는 데는 신중을 기한다. 한국인들은 이웃의 감정이나 지역사회에서의 자기 가족의 이미지를 상당히 의식한다.

Listen to loud music, especially in their cars.

This inconsiderate behavior results from the right that lies at the heart of the American Constitution: freedom. Younger Americans love the freedom to drive and to listen to whatever kind of music they wish, however loudly they choose. America's rebellious youth are the true ambassadors of this right. In Korea, loud music is confined to clubs. Even private homes are very conservative with regard to the volume of music, for they are quite conscious of their neighbor's feelings and their own family's image within the community.

웃옷을 입지않고 경기 관람, 또는 조깅을 한다.

야구장이든 공원이든 미국인 남자가 웃옷을 벗고 싶다면 벗어도 상관 없다. 그러나, 누구나 이런 모습을 보는 것을 좋아하지는 않으며, 한 국에서는 더욱 그렇다.

Watch a sporting match or jog with no shirt on.

Whether it's at a baseball game or in the city park, if an American male feels like taking off his shirt, it is perfectly acceptable to do so. Not everyone welcomes this sight; this is especially true in Korea.

정장을 입을 때도 운동화를 신는다.

미국인들, 특히 미국의 직장 여성들은 출퇴근할 때 운동화를 신고 사무실에 가서 구두로 갈아신는 경우가 있다. 이것은 운동화가 발에 편하기 때문이다.

Wear tennis shoes while wearing a suit.

Americans, especially female professionals in business, wear tennis shoes when commuting, and change to dress shoes in the office. They do so because tennis shoes are more comfortable.

남자가 귀걸이를 한다.

남자가 귀걸이를 하는 유행은 유럽에서 건너와서 미국의 대중문화로
자리잡기는 했지만, 지적인 직업의 세계에서는 대개 허용되지 않는다.
대부분의 한국인들은 남자가 귀걸이하는 것을 아주 이상하게 생각한
다.

Men wear earrings.

As a style carried over from Europe, the wearing of earrings
by men has its place in American pop-culture, but it is
usually not accepted in the professional environment.
It is generally viewed as strange by Koreans.

남자가 머리를 묶거나 헤어밴드, 스카프를 두른다.

한국 남성들은 옷차림이나 머리모양에 대해 매우 보수적이다. 머리를 기르거나, 헤어밴드나 스카프를 머리에 두르는 남자는 반항적이거나 미성숙한 젊은이, 또는 소위 "예술가"로 간주된다.

Men have pony-tails, or wear hair bands or bandanas.

Korean men are conservative in their dress and hairstyles. A man with long hair or wearing a hair band or a bandana is seen as a rebellious, immature youth or as an "artist."

구멍난 옷을 입는다.

이 기묘한 유행은 매우 미국적인 것이다. 여러 군데를 엽총으로 구멍
낸 청바지를 팔던 회사도 있었을 정도이다. 한국에도 이런 옷을 입고
다니는 사람들이 있긴 하지만, 이런 복장은 미국에서보다 더 점잖지
못한 것으로 받아들여진다.

Wear clothes with holes.

This odd fashion is quite American; there was even a
company selling blue jeans that had been shot full of holes
with a shotgun. Although you may see this fashion in
Korea, it is considered more disrespectful than in America.

아무때나 반바지나 반쯤 잘라낸 셔츠를 입는다.

미국인들은 가벼운 모임, 교실, 심지어 따뜻한 겨울철 실외 등 여러가지 상황에서 반바지나 반쯤 잘라낸 셔츠를 입는다. 한국에도 비슷한 차림을 한 젊은이들이 간혹 있긴 하지만, 만약 그런 복장으로 한국의 거리를 활보한다면 다른 사람들로부터 비난의 눈초리를 받을 준비를 해야할 것이다.

Wear shorts or half-cut shirts whenever they feel like it.

Americans feel comfortable wearing shorts or half-cut shirts in many situations: at a casual party, in a classroom, or even outside on a mild winter day. If you wear them in Korea, even though you can spot some young Koreans wearing the same clothes, you should be prepared for accusing stares.

사춘기 소녀들이 화장을 한다.

한국인들은 어린 소녀들이 화장을 하는 것은 조숙하고 어울리지 않는 다고 생각한다. 한국에서는 대개의 소녀들이 10대 후반이 되어서야 비로소 화장을 시작한다.

Adolescent girls wear make-up.

Koreans tend to view this as rather precocious and improper. In Korea, most girls do not begin to use make-up until late in their teens.

향수를 너무 진하게 사용한다.

퓨! 미국인들이 사용하는 향수는 종종 주위 사람들을 질식시키는 것 같다. 반면에 한국인들은 향수를 사용한다고 해도 매우 절제해서 사용한다. 한국인들은 향수를 진하게 뿌리는 것은 품위없고 거슬리는 일이라고 생각한다. 또한 그들은 미국인들이 불쾌한 몸냄새를 감추려 한다고 생각할 지도 모른다.

Wear strong fragrances (perfume or cologne).

Phew! The fragrances Americans use often seem to overpower people around them. By contrast, fragrances are used sparingly (if at all) by Koreans. Koreans consider the heavy use of scents to be vulgar and offensive. They also might feel that an American is trying to mask an unpleasant body odor.

중년이나 노년의 사람들이 발랄한 스타일이나 야한 색깔의 옷을 입는다.

한국인들은 대개 자신의 나이에 맞게 옷을 입는다. 예를 들면 젊은 여성들이 밝은 색의 옷을 즐겨입는 반면에, 나이든 여성들은 보통 가라앉은 색깔의 보수적인 옷을 입는다. "나이는 마음먹기 나름"이라고 생각하는 미국인들은, 나이든 사람들도 다양한 스타일과 색상의 옷차림을 한다.

Middle-aged and elderly persons wear "youthful" styles and/or loud colors.

In Korea, one generally dresses in accordance with one's age. Young women may wear bright clothing, for instance, and older women will usually wear conservative clothing in muted colors. American thinking is that "you are only as old as you feel," so older people may wear casual clothing in a wide variety of styles and colors.

식사 중에 밥그릇에 수저를 꽂아둔다.

한국인들은 수저를 그릇이나 접시 옆에 나란히 놓는다. 밥그릇에 수저를 꽂는 것은 조상에게 제사를 지낼 때나 있는 일이다.

Stick their silverware straight up in a bowl of rice during a meal.

Koreans set their silverware alongside their bowl or plate. They will stick silverware straight up in a bowl only during memorial services for deceased family members.

잘 모르는 음식은 먹어보려고도 하지 않는다.

미국인들은 자기 나라의 상점에서 흔히 볼 수 있는 음식이 아니라면 그것은 별로 좋은 음식이 아닐 거라고 생각한다. 미국인들은 음식에 대해 몹시 까다롭다.

Aren't willing to try new foods.

If it is not a common food available at a local grocery store back home, it is probably not too good. Many Americans are finicky about what they eat.

식사할 때 예의상의 거절을 그대로 받아들이고 더이상 권하지 않는다.

한국인들은 대개 음식을 더 권하면 처음에는 "됐다."고 하지만 자꾸 권하면 결국은 권유를 받아들인다. 그러나, 미국인들은 "됐다"는 말을 그대로 믿어버리고 한국인 손님을 배고픈 채로 내버려 두곤 한다.

Take "NO!" as a "NO!" when eating.

If an American asks a Korean guest if he or she would like more to eat, the Korean will generally say "no" the first time, but if urged will eventually give in. The American, however, will hear "no" and believe the Korean guest -- often leaving him hungry.

식사 중에 손가락을 핥는다.

이것은 KFC (Kentucky Fried Chicken)사의 "흠흠, 손가락 핥는 맛이 기가 막힌데!" 라는 광고에서 가장 잘 표현되어 있다. 미국인들은 닭 튀김이나 햄버거, 피자처럼 먹기 번거롭거나 기름기 많은 음식을 먹을 때 손을 사용한다. 그들은 종종 냅킨으로 손가락을 닦는 대신 혀로 핥곤 하는데, 이런 행동은 한국인들에게 아주 지저분하게 보인다.

Lick their fingers while eating.

KFC (Kentucky Fried Chicken) says it best, "Hmm, hmm, finger lickin' good!" Americans use their hands to eat many types of messy or greasy food, such as fried chicken, hamburgers, and pizza. They may often lick their fingers instead of wiping them with a napkin. Koreans find this rather disgusting.

음료수를 병째로 마신다.

많은 미국인들이 음료수는 병째로 마시는 것이 더 맛있다고 생각한다. 그러나 한국인들은 그런 행동이 예의에 벗어날 뿐 아니라 비위생적이라고 생각한다. 자동판매기에서 나오는 작은 쥬스병을 제외하면 한국인들은 대개 음료수를 컵에 따라 마신다.

Drink directly from a bottle.

According to many Americans, drinks taste better coming straight from a bottle. Koreans, however, think it is unsanitary to drink straight from a bottle, not to mention impolite. With the exception of small bottles of juice from vending machines, Koreans nearly always use a cup or glass for drinking.

아무데서나 먹는다.

미국인들은 집 앞 계단이나, 버스나 전철 안, 또는 복잡한 거리에서 샌드위치나 햄버거를 맛있게 먹곤 한다. 한국인들은 대개 식사를 할 때 주변의 분위기가 중요하다고 생각하기 때문에 그런 행동을 좋아하지 않는다.

Eat anywhere they happen to be.

Americans can happily eat a sandwich or a hamburger while sitting on the front steps of a house, riding the bus or subway, or walking on a busy street. Most Koreans do not enjoy this, feeling that the surroundings provide an important part of the atmosphere for eating.

다른 사람의 잔에 음료수를 따라주지 않는다.

한국인들은 혼자 마시는 경우가 아니라면 음료수를 자신의 잔에 직접 따르는 것은 모양이 좋지 않다고 생각한다. 함께 술을 마시는 사람들은 서로 상대방의 잔을 채워주어야 한다. 특히, 상대방이 나이든 사람일 경우는 두 손으로 따라주어야 한다는 것을 명심하라. 마시고 싶을 때 자신이 직접 따라 마시는 미국인들은 자신도 모르는 사이에 동석한 한국인을 불쾌하게(그리고, 목마르게) 할 수 있다.

Don't pour drinks for anyone else.

Koreans consider it bad form to pour one's own drink unless one is alone. You should pour for others, who will in turn pour for you. Especially when the other person is older, don't forget to pour his drink, and do it with two hands. Americans, who are accustomed to pouring their own drinks whenever they feel like it, may unintentionally leave their Korean hosts feeling uncomfortable (and thirsty!).

자신의 잔이 채워지자마자 먼저 마셔버린다.

"자, 내 잔은 채워졌군." 대부분의 미국인들은 중요한 건배를 할 경우에나 동석한 사람들의 잔이 모두 채워질 때까지 기다려준다. 그러나 한국에서는, 크건 작건 사교모임에서는 참석한 모든 사람이 마실 준비가 될 때까지 기다린다. "위하여!"

Begin drinking as soon as their glasses have been filled.

"Hey, I've got mine." Most Americans don't wait until everyone's glass is full, unless an important toast is about to be proposed. But in Korea, at social events both large and small, people almost always wait until everyone has had their glasses filled to begin drinking. "Cheers!"

식사 중에 너무 말을 많이 한다.

미국인들에게 식사시간은 사교의 시간이기도 하므로, 식사 중의 침묵은 분위기를 불편하게 만든다. 미국식의 재담은 한사람이 음식을 씹는 동안 다른 사람은 얘기를 하고, 그 다음에는 역할을 바꾸는 식으로 이루어진다. 한국인들은 식사를 할 때는 말을 많이 해서는 안된다고 교육받는다.

Talk too much while eating.

For Americans, meal time is also a time for socializing, therefore silence at the table creates an uncomfortable atmosphere. American-style repartee allows one person to talk while the other is chewing; then the roles are reversed. Koreans are taught not to talk much while eating.

미국인 영어 강사들은 한국 학생들과 식사할 때 돈을 내지 않는다.

한국에 있는 미국인 영어 강사들 중에는 자신이 미국인이기 때문에 한국 학생들이 항상 식사를 대접한다고 생각하는 사람들이 있다. 한국인들은 교사를 존경해서 "스승의 그림자도 밟지 말라."는 속담이 있을 정도이다. 한국 학생들은 교사로서의 미국인에게 식사 대접을 하는 것이지, 그가 미국인이기 때문에 식사를 대접하는 것은 아니다.

English teachers never pay for meals when eating out with students.

Some American English teachers in Korea think their students always pay for the meals because they're Americans. Koreans respect teachers and there's even a Korean saying "You mustn't even step on a teacher's shadow." Students will usually buy a teacher's meal because he's a teacher, not because he's an American.

연장자에게도 이름을 부른다.

서로 신뢰하고 협조하는 친숙한 관계가 되기 위해 많은 미국인들은 사업상의 모임이나 사교적인 자리에서 이름을 불러줄 것을 고집한다. 한국에서 이것은 무례한 행동에 속하며, 한국인들은 아주 가까운 사이가 아닌 이상 이름 부르는 것을 어렵게 생각한다. 한국에서는 정부장님, 노대리님, 김사장님처럼 상대방의 성에 직함을 붙여주는 것이 예의이다. 한국인들은 절대로 연장자의 이름을 부르지 않는다.

Call people (especially older people) by their first names.

To build a trusting and cooperative friendship, many Americans will insist on using first names in business and social situations. This is disrespectful in Korea and Koreans consequently find it hard to do so unless they're close friends. In Korea, it is appropriate to use the last name along with a title (i.e., Manager Jeong, Assistant Noh, President Kim, etc.). Koreans never call an elderly person by his first name.

사람을 기다리는 데에 있어서 참을성이 없다.

미국인들은 15분 내지 20분 이상 기다리게 되면 불쾌하게 느낀다. 그 때까지 약속한 사람이 오지 않으면 그들은 기다리기를 포기하고 다른 일을 보러 갈 것이다. 한국인들은 그보다 훨씬 오래 기다려 준다. 한 국에 있는 미국인들은 조금 더 인내심을 가질 필요가 있다.

Aren't patient when waiting for someone.

Americans get uncomfortable if they are kept waiting for more than 15-20 minutes. They may give up and go on to other business if the person does not show up by then. Koreans, on the other hand, are able to wait much longer. Americans in Korea should try to be a bit more patient.

사람들 앞에서 큰 소리로 코를 푼다.

이것은 한국인들에게, 특히 식사 중일 때는 아주 기분이 상하는 행동이다. 어떤 미국인들은 테이블이나 사람들에게서 몸을 돌리고 코를 풀기도 하지만, 그렇게 하더라도 한국인들을 불쾌하게 하기는 마찬가지다. 대부분의 한국인들은 사람들 앞에서 코를 풀지 않는다.

Blow their noses loudly in public.

This is extremely disgusting to Koreans, especially if done during a meal. Though some Americans turn away from the table and people when doing so, it still makes Koreans really uncomfortable. Most Koreans would rarely do this in publc.

비꼬는 말을 한다.

친구와의 대화 중에 말을 비꼬는 것은 미국인들에게는 흔한 일이지만 한국인들은 좀처럼 그렇게 하지 않는다. 이런 빈정거림은 종종 역설적인 농담의 형식으로 표현된다 (예를 들어, 상황이 좋지 않은 때에 "그것 참 잘됐군."이라고 말하는 등으로). 미국인들은 한국인과 이야기할 때 말을 비꼬지 말아야 한다. 그런 말은 제대로 이해되지 않거나, 더 나쁜 경우에는 문자 그대로의 뜻으로 받아들여질 수도 있다.

Use sarcasm.

Among friends, sarcasm is a common tool used by Americans in conversation, but Koreans hardly, if ever, use it. It often takes the form of a humorous ironic statement (e.g., saying "Oh, that's great" to imply that a situation is not good). Americans should avoid using sarcasm when interacting with Koreans. It will most likely not be understood, or worse, it may be taken literally.

다른 사람을 놀린다.

이것은 미국인, 특히 미국 젊은이들이 즐겨 사용하는 대화법 중의 하나이다. 악의가 없는 경우가 대부분이기 때문에, 놀림의 대상이 되었던 사람도 이를 알고 과잉반응하지 않는다. 그러나, 한국에서는 허물 없는 자리가 아니면 다른 사람을 놀리지 않는다. 한국인들은 미국인들의 가볍고 익살스러운 "모욕"에 매우 노여워할 수도 있으므로, 미국인들은 한국인 친구를 놀릴 때 아주 주의를 하거나 아예 삼가하는 것이 좋다.

Tease others.

This is a common form of interaction among Americans, especially young people. Most teasing is good-natured, and in understanding this, the person being teased should take it without overly reacting. In Korea, though, teasing is not so common, except in informal situations. Koreans may be highly offended by casual, humorous "insults" directed at them, thus Americans should be extremely cautious or simply refrain from teasing.

공공연하게 추근댄다.

미소, 윙크, 테이블 밑에서 발 건드리기. 미국의 젊은 남녀들은 서로 장난치기를 좋아하고, 그런 행동이 폐를 끼친다고 생각하지 않는다. 그러나 많은 한국인들은 그런 행동에 매우 놀라고 당황해 할 것이다.

Flirt too overtly.

A smile, a wink, a casual touch of a foot under the table. Young Americans enjoy flirting and feel it is quite harmless. But many Koreans will be shocked and confused by it.

직접적, 공격적으로 얘기한다.

미국인들에게 이런 대화방식은 많은 상황에서 명확하고 적절한 의사표
시로 받아들여진다. 그러나, 한국인들에게는 그런 말투가 퉁명스럽거
나 협박하는 것처럼 느껴질 수도 있다. 미국인들은 이야기의 핵심으로
바로 들어가는 것을 좋아하지만, 한국인들은 대개 핵심을 이야기하기
전에 배경 설명을 길게 하는 편이다.

Speak directly or aggressively.

This style of communication is considered by many
Americans to be clear and appropriate in most situations. To
Koreans, however, it usually appears unrefined or in-
timidating. Americans like to come to the point quickly;
Koreans usually introduce lots of background information
before coming to the point.

자화자찬을 한다.

미국에서는 자신이 성취한 것에 대한 얘기, 즉, 자화자찬을 해야 될
상황이 종종 있다. 자신을 내세우지 않는 겸손을 미덕으로 삼는 한국
인들은 이런 것이 오만한 태도라고 생각한다.

Brag about themselves.

In the U.S., one is often expected to promote one's own
accomplishments, to "blow one's horn." To Koreans, who
prefer a more self-effacing and humble approach, this
seems arrogant.

빠른 영어로 말하면서 속어나 관용구를 남용한다.

대부분의 미국인들은 간단한 영어인사 정도 할 줄 아는 사람이면 으레 영어에 능통할 거라고 생각하는 듯하다. 영어회화 교재에도 없는 속어를 속사포처럼 쏘아대서 (기본 단어와 문장 정도 알고있는) 상대방을 당황하게 하지 말라.

Speak English too quickly and overuse slang and idioms.

Many Americans seem to expect that anyone who can utter a simple English greeting must be fluent in the language. Don't frustrate your Korean host (who may well understand basic vocabulary and sentence patterns) by using rapid-fire expressions which probably do not appear in English conversation textbooks. Okey-dokey?

다른 사람의 의견을 공박한다.

"농담이시겠지요! 내 생각으로는..." 미국인들은 단지 대화를 활기차
게 하려고 종종 이렇게 말하곤 한다. 이것은 한국인들에게는 드문 일
이며, 그들은 일단 동의하고 다음 화제로 넘어가기를 좋아한다. 한국
에서 이렇게 말하는 미국인들은 상대방을 모욕하게 될 지도 모른다.

Challenge another person's opinions.

"You must be kidding! I think..." Americans often do this simply
to spice up the conversation. It is not so common among
Koreans, who often prefer to agree and move on to other
topics. Americans who do this in Korea risk affronting
those with whom they are speaking.

시끄러운 목소리, 큰 제스추어, 과장된 얼굴 표정을 한다.

미국인들은 이야기할 때 한국인들보다 훨씬 활기에 차 있다. 특히, 한국인과 영어로 이야기할 때, 미국인들은 목소리를 높이고 과장된 제스추어를 쓰는 경우가 많다. 많은 한국인들이 영어를 유창하게 하지는 못하지만 그렇다고 귀가 먹은건 아니라는 사실을 기억해야 할 것이다.

Use loud voices, big gestures, and exaggerated facial expressions.

Americans tend to be more animated than Koreans when speaking. Especially when speaking English to Koreans, Americans tend to raise their voices and use exaggerated gestures. They seem to forget that although many Koreans do not speak English fluently, they are not deaf.

명함을 받아서 제대로 읽어보지도 않고 주머니에 넣는다.

미국인 실업가들은 한국인이 건네준 명함을 아예 읽어보지 않거나 주의깊게 보지 않음으로써 상대방을 모욕하거나, 심지어 성사 가능성이 있는 거래를 놓칠 수도 있다. 그리고, 명함을 바지 뒷주머니에 두는 것은 절대 삼가하라.

When receiving a business card, simply put it in a pocket without really looking at it.

American businessmen may cause serious offense, or even ruin potential business deals by not examining nor examining carefully cards from their Korean counterparts. And never keep your business cards in your rear pants pocket.

상사에게 직접 불평을 말한다.

미국에서 문제를 해결하는 가장 적절하고 효과적인 방법은 직접 털어
놓고 얘기하는 것이다. 한국의 직장인들은 훨씬 간접적인 방법으로 문
제를 상사에게 알리려고 하거나, 혹은 상사와 술자리를 함께 하면서
문제에 관해 상의하기도 한다.

Complain directly to superiors.

In the United States, the proper and the most effective
way to have something done is to tell someone about the
problem straight out. A Korean company worker will
generally try to let a superior know about problems in a much
less direct manner, possibly by talking about the problems
while out drinking with his boss.

남편의 성으로 한국 여성을 부른다.

이것은 결혼 후에 남편의 성을 따르는 미국의 관습 때문에 생기는 혼동이다. 한국 여성들은 결혼 후에도 자신의 성을 버리지 않고, 죽을 때까지 간직한다. 만약 한국인 부인을 남편 성으로 부른다면, 그녀는 그것이 자신을 가리키는 것인지 알아차리지 못할 것이다.

Call Korean women by their husbands' family names.

This confusion is caused from the American custom that women, after their marriage, generally follow their husbands' family names. In Korea, women don't give up their family names after their marriage; they keep them until they die. If you call your Korean hostess by her husband's family name, she may not realize you are addressing her.

식사를 함께 하자고 청해놓고 자신의 몫만 계산한다.

한국에서 누군가 식사를 함께 하자고 청한다면 그것은 식사 대접을 하겠다는 의미로 받아들여도 좋다. 젊은 세대를 제외한 많은 한국인들은 각자 부담하는 일에 익숙치 않다. 한국인들은 먼저 식사를 하자고 청한 쪽이 계산을 하는 것으로 생각하는 경향이 있다.

Suggest having dinner together and pay only for his meal.

In Korea, if someone suggests having dinner, you may expect to be treated. With the exception of the young generation, many Koreans are not accustomed to going Dutch. They expect the person who suggested the dinner to pay for it.

나이를 묻는 질문에 지나치게 민감하다.

어떤 미국인들, 특히 미국 여성들은 나이에 너무 민감하다. 대화가 나이에 관한 것으로 흐르게 되면, 미국 여성은 재빨리 화제를 돌리거나 심지어는 화를 내기도 한다. 이런 반응은 그 미국 여성을 모욕하거나 사생활을 침해하려는 것이 아니고, 단지 좀 더 친해지려고 했을 뿐인 한국인 상대방을 몹시 당황하게 한다. 한국인들에게 있어 나이는 상대를 어떻게 대우해야 할 지를 결정하는 기준이다.

Are too sensitive about mentioning their age.

Some Americans, especially American women, are sensitive about their age. When a conversation happens to come to her age, an American woman may quickly try to change the subject or may even get irritated or annoyed. This sometimes embarrasses her Korean counterpart, who doesn't mean to insult her or to invade her privacy, but only desires to become more familiar with her. Age is a standard by which Koreans determine how to behave toward others.

아무 상점에서나 물건 값을 깎아 달라고 한다.

한국에는 이태원이나 남대문처럼 물건 값을 깎을 수 있는 쇼핑 지역이 있다. 그러나 모든 상점에서 가격 흥정이 가능한 것은 아니며 특히 백화점에서는 불가능하다. 한국을 소개하는 어떤 여행 책자에는 일부 지역에서 쇼핑을 할 때 물건 값을 깎는 것이 좋다고 되어있지만 그것이 그 지역의 모든 상점을 말하는 것은 아니다.

Demand discounts on all merchandise at stores.

Korea has shopping areas such as Itaewon and Namdaemun, where asking for discounts is acceptable, but not all stores accept this practice, especially department stores. Even though some tour guide books recommend asking for discounts at certain places, it may not be acceptable at all the shops in an area.

한국인들이 먹는 음식을 빗대어 놀린다.

한국 음식이 미국 음식과 모양이나 냄새, 맛이 다르다고 해서 그에 대해 무례한 비평을 해서는 안된다.

Ridicule Korean food.

Many Korean foods do look, smell, and taste different from American foods, but that doesn't call for rude comments.

단지 미국인이라는 이유만으로 비도덕적이거나 불법적인
행동을 해도 괜찮다고 생각한다. (예를 들면, 휴지를 거
리에 버리거나 복잡한 교차로에서 U턴을 하는 것)

미국에서는 함부로 휴지를 버리거나 교통법규를 위반하는 경우에는 비
싼 벌금이 매겨지며, 아같은 위반 행위에는 변명의 여지가 없다.

**Think it is sometimes all right to be immoral/
illegal just because they're Americans (e.g.,
throwing trash on the streets, making a U-turn
in the middle of a busy intersection, etc.).**

In the U.S., there are steep fines for littering and traffic
violations; there is no excuse for this kind of disrespect.

서울은 특별히 더럽다고 말한다.

미국 대도시의 뒷골목들도 지저분하기는 마찬가지지만 한국에는 특별히, 먼지나 모래가 많은 것 같다. 이것은 부분적으로는 급속한 경제 성장으로 인해 한국 도처에서 행해지는 공사 때문이다. 세계 대도시들의 공통적인 고민인 공해 역시 원인 중의 하나이다.

Say that Seoul is especially dirty.

Although the back streets of the major cities in the U.S. are also dirty, there does seem to be an unusual amount of dust and sand in Korea. This is caused, in part, by the unceasing construction that occurs on every street, resulting from rapid industrial development. Air pollution, which is a common problem in the world's major cities, is also one of the causes.

자신들은 한국어를 배우려하지 않으면서 한국인이 영어를 배울 것을 기대한다.

한국어는 서양인들이 배우기 힘든 언어로 악명이 높다. 그러나, 한국에 사는 동안 한국어를 배우기 위해 약간만 노력한다면 많은 것을 얻게 될 것이다. 현지 사람들과 그들의 언어로 의사소통을 할 수 있게 되면, 일상생활이 훨씬 유쾌하고 흥미진진해질 것이다.

Don't try to learn Korean and expect Koreans to learn English.

Korean is a notoriously difficult language for Westerners. However, while living in Korea, a little effort at learning goes a long way. Everyday life becomes much more pleasant and interesting when one is able to interact with local people using their language.

요 위를 걸어다닌다.

요는 속을 꽉 채운 카페트가 아니고 침구이다. 따라서 요 옆으로 걸어
다녀야지, 그 위를 밟고 다녀서는 안된다. 요를 사용하지 않을 때는
접어서 한쪽으로 치워놓거나 장롱 속에 넣어야 한다.

Walk on a "yo."

A "yo" is bedding, not an overstuffed carpet. Walk around it,
not on it. It should be folded up and put to one side or put
away in a closet when it is not being used.

합당한 교육적 배경 없이 영어를 가르친다.

미국인 여행자나 군인들 중에 합당한 교육적 배경도 없이 한국에서 영어를 가르치는 사람들이 있다. 영어를 가르치는 것은 전문적 훈련이 요구되는 직업이므로 이런 일에는 변명의 여지가 없다.

Teach English without appropriate educational background.

There are many American tourists and soldiers who teach English without an appropriate educational background. Teaching English is a profession that requires professional training. There is no excuse for this type of practice.

약속시간에 늦는 것을 "코리안 타임"이라고 말한다.

미국 문화는 시간을 중심으로 형성된다. 미국인들은 한국인들이 자신들에 비해 시간을 엄수하지 않는다고 느끼며, 이런 표현은 약속에 늦는 사람에 대한 미국인들의 불만을 잘 보여주고 있다.

Say "Korean time" to describe being late.

American culture is built around time. Many have noticed that Koreans tend to watch the clock less than Americans, so this expression has come to identify their frustration with people being late.

빨간 펜으로 사람 이름을 쓴다.

한국에서는 죽은 사람의 이름을 쓸 때에만 빨간색으로 쓴다. 미국에서는 어떤 색깔로 사람의 이름을 쓰든 문제가 되지 않으며, 빨간색은 교사들이 흔히 사용하는 색이다.

Write a person's name in red.

In Korea, names are written in red only after one is deceased. Americans have no problem with names written in colors, and red is often used by teachers.

돈을 받지 않고는 아무 일도 하지 않는다.

두가지 격언이 생각난다. 하나는 "시간은 돈이다."라는 말이고, 또 하나는 영화 '월 스트리트'에서 나오는 "욕심은 좋은 것이다... 사랑에 대한 욕심, 인생에 대한 욕심, 자유에 대한 욕심, 돈에 대한 욕심"이라는 말이다. 미국인들은 시간을 물이나 석탄처럼 유익하게 쓰거나 또는 낭비할 수 있는 일종의 자원이라고 생각한다.

Don't do anything for free.

Two sayings come to mind, "Time is money" and from the movie *Wall Street,* "Greed is good ... greed for love, life, freedom, and money." For Americans, time is a resource that, like water or coal, can be used either well or poorly.

업무 중에 농담을 많이 한다.

"이봐, 일을 하는거야, 마는거야?" 미국인이나 한국인이나 자신이 유능하며, 업무 파악을 잘 하고 있다는 인상을 주고 싶어하는 것은 마찬가지이다. 미국인들은 여유와 유머를, 한국인들은 기민함과 즉각적인 행동을 보임으로써 자신의 능력을 보이고 싶어한다. 한국인들은 미국인들이 업무에 대해 "진지하지 않다"고 느낄 수도 있다. 반대로 미국인들은 한국인들이 지나치게 "경직되어 있다"고 생각하기도 한다.

Joke around a lot while working.

"Hey, there! Working hard or hardly working?" Both Americans and Koreans like to give the impression that they are competent and in control of things. Americans do it with an air of relaxation and a sense of humor; Koreans by a sense of alertness and quick activity. Koreans may feel that Americans are "not serious" about their work. And Americans may think that Korean workers are too "uptight."

업무시간과 사적인 시간을 지나치게 구분한다.

미국인 사원들은 자신에게 할당된 업무를 끝내기만 하면 회사에 대한 책임을 다하는 것이라고 생각한다. 그래서 그들은 휴식시간을 연장하거나, 사적인 일을 하기도 하며, 정시에 퇴근한다. 한국인들은 애사심과 충성심을 매우 중시하기 때문에, 상사가 퇴근할 때까지 사무실에 남아 일을 해야 한다고 (또는 일하는 척이라도 해야 한다고) 생각한다.

Strictly separate work time and private time.

American employees usually feel that their responsibilities to the company end when they have finished their clearly defined duties. Thus, they may take extended breaks, do personal work, or leave the office exactly at finishing time. For Koreans, company spirit and loyalty are very important, so they feel compelled to stay and work (or trying to look like they are working) until the boss leaves for the day.

노부모를 양로원에 보낸다.

미국인들은 어릴 때부터 자립심을 갖도록 키워진다. 따라서, 노부모들
역시 자식들과 함께 살기보다는 독립해서 살고 싶어하는 것이 보통이
다. 최근에는 추세가 변하고는 있지만, 한국에서는 자녀들이 노부모를
돌보는 것을 당연하게 생각한다.

Send their parents to a nursing home when they get older.

Americans are taught independence from an early age.
Therefore, older parents typically prefer to live alone
than with their children. In Korea, though nowadays it is
changing, it is natural for the children to care for their
parents in their old age.

미국인이라는 이유만으로 자신들이 최고라고 생각한다.

다른 문화에 대한 식견이 조금이라도 있는 미국인이라면 이런 우월감을 보이지는 않을 것이다. 이런 태도는 어느 나라 사람이든간에 수치스러운 일이다. 자부심과 극단적인 국수주의는 전혀 다른 것이다.

Think they are the best simply because they are from America.

Most Americans who know anything about other cultures will not show an air of superiority. Anyone who does, from any country, is disgraceful. Pride and extreme nationalism are two different things.

개인적으로 해결 가능한 분쟁에 대해 법적 조치를 취한다.

한국에는 변호사에 관한 농담이 없다! 사실상, 미국에 비하면 한국에는 변호사의 수가 매우 적다. 한국인들은 미국인들이 분쟁을 해결하는 과정에서 너무 성급하게 법적인 방법에 호소한다고 생각한다. 한국인들은 다른 해결 방법이 모두 실패했을 때 비로소 소송을 제기한다.

Take legal action instead of trying to solve serious disputes on a personal level.

No lawyer jokes in Korea! In fact, there are relatively few lawyers. To Koreans, it seems that Americans are much too quick to turn to the legal system to resolve disputes. Koreans generally resort to lawsuits only when all other ways for resolution have failed.

● 어글리 코리언 ●
UGLY KOREANS

I. 일상예절
MANNERS

* 뒤따라 오는 사람을 위해 문을 잡아주지 않는다. 12
  Don't hold the door for the person behind them.

* 사람들 많은 곳에서 서로 부딪친다. 13
  Bump into others in a crowd.

* "감사합니다." "실례합니다." "미안합니다."라고
  말하지 않는다. 14
  Don't say "Thank you," "Excuse me," or "I'm sorry."

* 주의를 끌기 위해 상대방의 옷자락을 잡아끈다. 15
  Grab at one's clothes to get one's attention.

* 대화 도중 상대방을 가볍게 친다. 16
  Slap people when talking to them.

* 대화 중에 상대방의 눈을 쳐다보지 않는다. 17
  Don't use much eye contact during conversation.

* 여자들이 웃을 때 손으로 입을 가린다. 18
  Women cover their mouths when they laugh.

* 이 사이로 공기를 빨아들인다. 19
  Suck air between their teeth.

* 가운데 손가락으로 가리킨다. 20
  Use the middle finger to point.

* 악수를 너무 오래 하거나 힘없이 한다. 21
  Shake hands too long or too limply.

* 회의 중에 눈을 감고 있는다. 22
  Close their eyes at a meeting.

* 코를 풀어버리지 않고 계속 훌쩍거린다. 23
  Sniffle continually instead of blowing their noses.

* 사람들 앞에서 귀소제를 한다. 24
  Men clean their ears in public.

* 주위 사람들에 아랑곳하지 않고 담배를 피운다. 25
  Smoke anywhere without considering those around them.

* 호텔, 식당, 상점 종업원에게 무례하다. 26
  Are rude to service personnel in hotels, restaurants, and
  stores.

* 공공장소에서 쓰레기를 함부로 버린다. 27
  Throw trash in public.

* 공공장소에서 침을 뱉는다. 28
  Spit in public.

* 공공장소에서 마른 오징어를 먹는다. 29
  Eat dried squid in public.

* 부모들이 공공장소에서 주위 사람들에게 폐를 끼치는
  아이들을 내버려둔다. 30
  Parents let their children disturb others in public.

* 외국인을 빤히 쳐다보면서 면전에서 그들에 대해
  이야기한다. 31
  Stare at foreigners and talk about them in their presence.

II. 복장예절
   ## CLOTHING

* 양복에 흰 양말을 신는다. 32
  Wear white socks with a suit.

* 관광하면서 정장을 입는다. 33
  Wear formal suits while sightseeing.

* 잘못된 영어표현이 쓰여진 옷을 입고 다닌다. 34
  Wear clothes with misused English words and phrases printed
  on them.

III. 식사예절
   ## AT THE TABLE

* 상대방에게 무엇을 먹을 건지 물어보지도 않고 음식을
  주문한다. 35
  Order food for guests without asking what they want.

* 가위로 고기와 채소를 자른다. 36
  Cut meat and vegetables with a pair of scissors.

* 국수나 국을 먹을 때 시끄럽게 소리낸다. 37
  Slurp loudly while eating noodles or soup.

* 입에 음식을 넣은 채 말한다. 38
  Talk with their mouths full.

* 식사 중에 대화를 하면서 포크와 나이프, 젓가락을
  흔든다. 39
  Wave a fork, knife, or chopsticks around while conversing
  during meals.

* 식사 중에 식탁을 가로질러 물건을 집는다. 40
  Reach across the table.

* 식사 중에 허리띠를 푼다. 41
  Men unbuckle their belts during meals.

* 식사 후 소리내어 목을 가신다. 42
  Gargle noisily after a meal.

* 식탁에서 요란하게 이쑤시게를 사용한다. 43
  Use toothpicks loudly at the table.

* 물어보지도 않고 커피에 크림과 설탕을 넣어준다. 44
  Add cream and sugar to coffee without asking how you like it.

* 식사 후 바로 자리를 뜬다. 45
  Leave quickly after their meals.

IV. 사교예절
SOCIAL

* 개인적인 질문을 한다. 46
  Ask personal questions.

* 마지막 순간에 초대하거나 중요한 발표를 한다. 47
  Make invitations or important announcements at the last
  minute.

* 학교, 파티, 식사 등에서 남녀가 따로 어울린다. 48
  Form seperate male and female groups (at school, parties,
  dinners).

* 자신이 마신 잔으로 다른 사람에게 술을 권한다. 49
  Offer drinks using the same glass the person has been
  drinking from.

* 손님에게 술 한 잔 더 하라고 강요한다. 50
  Tend to force guests to drink one more glass of alcoholic
  beverage.

* 사람들 앞에서 술에 취해 있는 것이 용납된다. 51
  Accept public drunkenness.

* 모임에서 미국인들에게 노래하라고 강요한다. 52
  Force Americans to sing at gatherings.

* 한꺼번에 자리를 뜬다. 53
  Leave social gatherings in a group.

* 동성과 손을 잡고 걷는다. 54
  Hold hands with the same sex while walking.

* 동성과 춤을 춘다. 55
  Dance with the same sex.

* 사업상의 이야기를 시작하기 전에 잡담을 한다. 56
  Engage in extensive small talk before getting down to
  business.

* 말하는 것이 모호하다. 57
  Are vague in speaking.

* 거절의 뜻을 분명히 밝히지 않는다. 58
  Don't say "No!"

* 토론에 적극적이지 못하다. 59
  Don't contribute much to discussions.

* "우리 한국사람은..."이라고 말한다. 60
  Begin sentences with "We Koreans..."

* 두 번 이상 권하지 않으면 받아들이지 않는다. 61
  Don't accept an offer unless asked two (or more) times.

* 영어 연습을 위해 전철에서 서양인과 대화를 시도한다. 62
  Attempt to strike up conversations on the train with Westerners
  in order to practice English.

* 한국어 사용, 한국 문화에 대한 지식, 심지어는 젓가락
  사용법에 대해서까지 외국인을 칭찬한다. 63
  Praise non-Koreans for skills such as using the Korean
  language, knowledge about Korea and its culture, or even the
  ability to use chopsticks.

* 아무데서나 화투를 한다. 64
  Play Hwa-Tow (Korean cards) anywhere and everywhere.

* 남성들이 여성들에게 불친절하다. 65
  Men seem unkind to women.

V. 교통예절
ON THE GO

* 사람들이 내리기도 전에 전철이나 엘리베이터에
  올라탄다. 66
  Get into subways or elevators before others get off.

* 전철에서 남자들이 다리를 벌리고 앉는다. 67
  Men sit with their legs outstretched on subways.

* 운전자들이 끼어들기를 한다. 68
  Drivers try to cut in line in traffic.

* 운전자가 보행자에게 양보하지 않는다. 69
  Drivers don't yield to pedestrians.

* 운전자들이 비상등을 켠 앰뷸런스나 소방차, 경찰차에
  양보하지 않는다. 70
  Drivers don't yield to ambulances, fire trucks, or police cars,
  even when those vehicles have emergency lights flashing.

* 불법으로 주차하여 교통을 마비시킨다. 71
  Drivers park illegally and block traffic.

* 택시 운전자들이 승차를 거부한다. 72
  Taxi drivers with no passengers sometimes refuse to pick up
  certain passengers.

* 버스가 정류장을 그냥 지나쳐 버린다. 73
  Buses drive by without stopping.

* 버스와 대형 트럭을 난폭하게 운전한다. 74
  Buses and large trucks act outrageously.

* 승무원의 경고에도 불구하고 비행기가 착륙해서
  멈추기도 전에 미리 안전벨트를 풀고 일어선다. 75
  Remove their seat belts and stand up in an airplane
  immediately upon landing, even though the flight attendant has
  told the passengers to remain seated.

VI. 기타
MISCELLANEOUS

* 사무실 책상에 화장실용 휴지를 놓고 쓴다. 76
  Place a roll of toilet paper on a desk in an office.

* 얼굴이 굳어있고 표정이 없다. 77
  Have facial expressions that are flat and dull.

* 당황했을 때 미소짓거나 웃는다. 78
  Smile or laugh when confused or embarrassed.

* 고액의 지폐를 사용한다. 79
  Use large bills (e.g., $100) when paying.

* 팁 주는 것을 잊어버린다. 80
  Forget to tip service workers.

* 나이를 업무 능력보다 더 중요하게 생각한다. 81
  Regard seniority as more important than achievement or ability.

* 사원 선발에 있어서 능력보다 연고를 중요시한다. 82
  Regard connections as more important than ability in choosing job candidates.

* 주택이나 건물에 주소가 없다. 83
  House and building addresses are unmarked.

* 양쪽으로 되어있는 출입문을 한쪽만 열어둔다. 84
  Businesses or offices unlock only one door at the entrance (when there are double doors).

* 대학생들이 열심히 공부하지 않는다. 85
  College students don't study very hard.

* 전철이나 버스에서 잠을 잔다. 86
  Sleep on trains or buses.

* 어린아이의 엉덩이를 토닥거린다. 87
  Pat a young child on the behind.

* 외국인이라는 이유로 물건값을 터무니없이 올린다. 88
  Raise prices because the customer is a foreigner.

* 미국을 위험한 곳으로 묘사한다. 89
  Describe America as a "dangerous" place.

* 공중 화장실이 남녀공용으로 사용된다. 90
  Public rest rooms are used commonly by men and women.

* 공중 화장실에 화장지나 타월이 없는 경우가 자주 있다. 91
  Public rest rooms often do not have toilet paper or paper towels.

● 어글리 어메리컨 ●
UGLY AMERICANS

I. 일상예절
MANNERS

* 둘째 손가락을 놀려서 사람을 부른다. 94
  Beckon someone using the index finger.

* 둘째 손가락으로 사람을 가리킨다. 95
  Use the index finger to point at someone.

* 어린아이의 코를 떼어간다는 우스개의 의미로 검지와
  중지 사이에 엄지를 끼워보인다. 96
  "Steal" a child's nose in fun and show it to him by placing
  one's thumb between the index and middle finger.

* 악수를 너무 세게 한다. 97
  Shake hands too firmly. ·

* 연장자 앞에서 담배를 피운다. 98
  Smoke in front of older people.

* 연장자에게 한 손으로 물건을 주고 받는다. 99
  Use one hand to give things to and receive things from elders.

* 상급자 앞에서 다리를 꼬고 앉는다. 100
  Sit with legs crossed in front of a superior.

* 사무실에서 책상이나 의자에 발을 올려놓는다. 101
  Put their feet up on a desk or chair in an office.

* 상사가 사무실에 들어오더라도 일어나지 않는다. 102
  Don't stand up when a superior enters the office.

* 상급자에게 인사를 하는 대신 손을 흔든다. 103
  Wave instead of bow when they encounter a person of higher status.

* 상사가 얘기하는 중에 "어-허"하는 소리를 낸다. 104
  Make the sound "Uh-huh" when a superior is speaking.

* 대화 중에 주머니에 손을 넣고 있다. 105
  Keep hands in pockets while speaking.

* 대화 중에 팔짱을 끼고 있다. 106
  Cross their arms when talking.

* 대화 중에 너무 빤히 쳐다본다. 107
  Use too much eye contact during conversation.

* 대화 중에, 운동 중에, 심지어는 강의 중에도 껌을 씹는다. 108
  Chew gum in social situations: while conversing, playing sports, or even teaching.

* 사람들 앞에서 키스를 한다. 109
  Kiss in public.

* 강의 중에 테이블이나 책상에 앉는다. 110
  Sit on a table or desk when lecturing.

* 입에 필기도구를 문다. 111
  Hold a pen or pencil in their mouths.

* 집안에서도 신을 신는다. 112
  Wear shoes inside the home.

* 차 안에서 음악을 크게 틀어놓는다. 113
  Listen to loud music, especially in their cars.

ΙΙ. 복장예절
CLOTHING

* 웃옷을 입지않고 경기 관람, 또는 조깅을 한다. 114
  Watch a sporting match or jog with no shirt on.

* 정장을 입을 때도 운동화를 신는다. 115
  Wear tennis shoes while wearing a suit.

* 남자가 귀걸이를 한다. 116
  Men wear earrings.

* 남자가 머리를 묶거나 헤어밴드, 스카프를 두른다. 117
  Men have pony-tails, or wear hair bands or bandanas.

* 구멍난 옷을 입는다. 118
  Wear clothes with holes.

* 아무때나 반바지나 반쯤 잘라낸 셔츠를 입는다. 119
  Wear shorts or half-cut shirts whenever they feel like it.

* 사춘기 소녀들이 화장을 한다. 120
  Adolescent girls wear make-up.

* 향수를 너무 진하게 사용한다. 121
  Wear strong fragrances (perfume or cologne).

* 중년이나 노년의 사람들이 발랄한 스타일이나 야한
  색깔의 옷을 입는다. 122
  Middle-aged and elderly persons wear "youthful" styles and/or
  loud colors.

III. 식사예절
AT THE TABLE

* 식사 중에 밥그릇에 수저를 꽂아둔다. 123
  Stick their silverware straight up in a bowl of rice during a
  meal.

* 잘 모르는 음식은 먹어보려고도 하지 않는다. 124
  Aren't willing to try new foods.

* 식사할 때 예의상의 거절을 그대로 받아들이고 더이상
  권하지 않는다. 125
  Take "NO!" as a "NO!" when eating.

* 식사 중에 손가락을 핥는다. 126
  Lick their fingers while eating.

* 음료수를 병째로 마신다. 127
  Drink directly from a bottle.

* 아무데서나 먹는다. 128
  Eat anywhere they happen to be.

* 다른 사람의 잔에 음료수를 따라주지 않는다. 129
  Don't pour drinks for anyone else.

* 자신의 잔이 채워지자마자 먼저 마셔버린다. 130
  Begin drinking as soon as their glasses have been filled.

* 식사 중에 너무 말을 많이 한다. 131
  Talk too much while eating.

IV. 사교예절
SOCIAL

* 미국인 영어강사들은 한국 학생들과 식사할 때 돈을
  내지 않는다. 132
  English teachers never pay for meals when eating out with
  students.

* 연장자에게도 이름을 부른다. 133
  Call people (especially older people) by their first names.

* 사람을 기다리는 데에 있어서 참을성이 없다. 134
  Aren't patient when waiting for someone.

* 사람들 앞에서. 큰 소리로 코를 푼다. 135
  Blow their noses loudly in public.

* 비꼬는 말을 한다. 136
  Use sarcasm.

* 다른 사람을 놀린다. 137
  Tease others.

* 공공연하게 추근댄다. 138
  Flirt too overtly.

* 직접적, 공격적으로 얘기한다. 139
  Speak directly or aggressively.

* 자화자찬을 한다. 140
  Brag about themselves.

* 빠른 영어로 말하면서 속어나 관용구를 남용한다. 141
  Speak English too quickly and overuse slang and idioms.

* 다른 사람의 의견을 공박한다. 142
  Challenge another person's opinions.

* 시끄러운 목소리, 큰 제스추어, 과장된 얼굴 표정을 한다. 143
Use loud voices, big gestures, and exaggerated facial expressions.

* 명함을 받아서 제대로 읽어보지도 않고 주머니에 넣는다. 144
When receiving a business card, simply put it in a pocket without really looking at it.

* 상사에게 직접 불평을 말한다. 145
Complain directly to superiors.

* 남편의 성으로 한국 여성을 부른다. 146
Call Korean women by their husbands' family names.

* 식사를 함께 하자고 청해놓고 자신의 몫만 계산한다. 147
Suggest having dinner together and pay only for his meal.

* 나이를 묻는 질문에 지나치게 민감하다. 148
Are too sensitive about mentioning their age.

V. 여행자예절
VISITING AMERICANS

* 아무 상점에서나 물건 값을 깎아 달라고 한다. 149
Demand discounts on all merchandise at stores.

* 한국인들이 먹는 음식을 빗대어 놀린다. 150
Ridicule Korean food.

* 단지 미국인이라는 이유만으로 비도덕적이거나 불법적인
  행동을 해도 괜찮다고 생각한다. (예를 들면, 휴지를 거리
  에 버리거나 복잡한 교차로에서 U턴을 하는 것) 151
  Think it is sometimes all right to be immoral/illegal just
  because they're Americans (e.g., throwing trash on the streets,
  making a U-turn in the middle of a busy intersection, etc.).

* 서울은 특별히 더럽다고 말한다. 152
  Say that Seoul is especially dirty.

* 자신들은 한국어를 배우려하지 않으면서 한국인이
  영어를 배울 것을 기대한다. 153
  Don't try to learn Korean and expect Koreans to learn English.

* 요 위를 걸어다닌다. 154
  Walk on a "yo."

VI. 기타
MISCELLANEOUS

* 합당한 교육적 배경없이 영어를 가르친다. 155
  Teach English without appropriate educational background.

* 약속시간에 늦는 것을 "코리안 타임"이라고 말한다. 156
  Say "Korean time" to describe being late.

* 빨간 펜으로 사람 이름을 쓴다. 157
  Write a person's name in red.

* 돈을 받지 않고는 아무 일도 하지 않는다. 158
  Don't do anything for free.

* 업무 중에 농담을 많이 한다. 159
  Joke around a lot while working.

* 업무시간과 사적인 시간을 지나치게 구분한다. 160
  Strictly separate work time and private time.

* 노부모를 양로원에 보낸다. 161
  Send their parents to a nursing home when they get older.

* 미국인이라는 이유만으로 자신들이 최고라고
  생각한다. 162
  Think they are the best simply because they are from America.

* 개인적으로 해결 가능한 분쟁에 대해 법적 조치를
  취한다. 163
  Take legal action instead of trying to solve serious disputes on
  a personal level.

❖ 저자약력 ❖

- 현 미국 Northern Illinois 대학원 교육학 박사 과정
  (ESL/ 외국인을 위한 영어교육)
- 현 민병철어학교육연구원 이사장
- 현 (주)민병철생활영어출판사 발행인
- 현 EBS-TV TOEIC 강좌 진행
- 10년에 걸친(1981-1984, 1988-1991) MBC-TV 생활
  영어 진행
- 중앙대학교 외국어대학 객원교수 역임
- 컴퓨터 그래픽을 이용하여 구강내의 발음과정을 움직임
  으로 나타내는 영어발음법 비디오 및 레이저디스크 세계 최초 개발, 미국, 일본 등
  에 보급중
- 첨단 멀티미디어 교재 "CD-I 민병철 생활영어"를 LG MEDIA와 국내 최초로 개발
- "CD-ROM 민병철 생활영어"를 대우통신과 개발
- 미국, 캐나다 및 일본의 국제 영어교육자 협의회에서 "멀티미디어를 활용한 영어
  발음교육" 및 "아시아와 미국문화의 차이"에 관한 주제 발표('92, '93, '94)
- '94, '95 대한 영어교육연구회 (Korea TESOL) 공동의장
- 동서양의 문화, 관습의 차이를 다룬 "Ugly Koreans, Ugly Americans",
  "Ugly Japanese, Ugly Americans"를 저술, 세계 각국에 보급중
- 대표저서 : 100만부 이상 보급된 민병철 생활영어 시리즈를 비롯, 민병철 어린이
  영어, 민병철 기초생활영어, 민병철 영어발음법 등 다수

❖ ABOUT THE AUTHOR ❖

Min Byoung-chul is one of Korea's best-known multicultural educators in the English- language field. He founded the prestigious BCM Language Centers located throughout Korea, currently has his own instructional TV program on EBS, and is completing his doctoral degree at Northern Illinois University in adult continuing education (TESOL). He frequently speaks at international conferences, including JALT, TESOL, and AERA in Japan, the U.S., and other countries.

Min's extensive and practical language-teaching experience has made him acutely aware of the cultural barriers that exist between Koreans and Americans. The sometimes-funny, always-serious *Ugly Koreans, Ugly Americans* resulted from his determination to promote more mutual understanding between Koreans and Americans.

어글리 코리언, 어글리 어메리컨
UGLY KOREANS, UGLY AMERICANS

1995년 8월 12일 중판 발행

저　　자 : 민병철
삽　　화 : 이동호
발 행 인 : 민병철
발 행 처 : (주)민병철생활영어사
　　　　　서울시 강남구 역삼동 752-27 〒135-080
　　　　　☎ 567-0644~6
인 쇄 처 : 영진문화
등록번호 : 제 13-28호

● 이 책의 무단 복제, 발췌, 전재를 금합니다.
● 파본은 구입하신 서점에서 교환해 드립니다.

값 : 4,500원

민병철생활영어사 독자카드
Reader's Opinion

나이(Age) : _____ 직업(Occupation) : _____

"어글리 코리언, 어글리 어메리컨"
Ugly Koreans, Ugly Americans

이 책에 있는 사례 외에 평소에 꼴불견이라고 생각하신 한국인
과 미국인의 행동, 또는 한미 문화 차이에 관한 사례가 있으면
기술해 주십시오. 귀하의 의견은 본서 개정시 귀중한 참고자료
로 활용될 것이므로 정성껏 답변해 주시면 감사하겠습니다.

Please provide us with your comments of *Ugly
Koreans, Ugly Americans* and/or any other cultural
contrasts you can think of. They may be reflected in our
next edition.

어글리 코리언 (Ugly Koreans) :

_____

_____

_____

어글리 어메리컨 (Ugly Americans) :

_____

_____

_____

* Postage necessary.

Postage
Neccesary

우 편 엽 서

보내는 사람

주소 (Address) :

전화 (Tel) :

이름 (Name) :

받는 사람

(주) 민병철생활영어사
BCM Publishers, Inc.

752-27 Yuksam-Dong, Kangnam-Gu,
Seoul, Korea
Tel : (02) 567-0644   Fax : (02) 552-9169

1 3 5 - 0 8 0